16 五代～北宋
西元907～1126年
[注音本]

全新 吳姐姐講歷史故事

吳涵碧◎著

目錄

【第355篇】

王彥章不事二主。

李克用去世之後，其子李存勗頗有乃父之風。連連奏捷，使得李克用的仇敵梁太祖朱全忠非常恐慌。

朱全忠一共當了六年皇帝，屢次敗在李存勗之手。他後來生了病，在病中流著眼淚嘆息道：『我經營天下三十餘年，不料太原餘孽（指李存勗）如此猖狂。我看他的志向不小，我死以後，我那幾個豬狗不如的兒子，那裏是他的對手，我死無葬身之地了。』

朱全忠是盜匪出身，以馬背得天下，卻不知不能馬上治天下。他的家庭教育十分失敗，幾個兒子都不成材。朱全忠本人淫虐貪暴，兒子也不佩服這個父親。

他的大兒子很早就死了，二兒子朱友珪不得朱全忠之歡心。倒是有個養子朱友文，因爲妻子王氏生得美，使得朱全忠特別寵愛朱友文。

乾化二年五月，朱全忠在河北吃了敗仗，退守洛陽，病勢十分危急，把友文召來託後事。這件事被朱友珪知道了，連夜率兵闖入寢宮殺了朱全忠。朱友珪的弟弟朱友貞又把朱友珪殺了，自己當了皇帝——這就是後梁末帝，即位於大梁（即汴州）。

朱全忠打不過李存勗，朱全忠的兒子朱友貞正如其父所料，更不是李

存勗的對手。後梁在軍勢上，益處下風。

當時，許多人都勸李存勗稱帝。又有魏州地方一個和尚賣玉，識貨的人發現這一塊玉不是普通的玉，竟然是黃巢破長安時搶到的唐朝傳國璽。這個笨和尚不知情，把它當作平常東西一樣擺了幾十年。這一會兒曉得了，拿去獻給李存勗邀功。

李存勗得到了傳國璽，益發相信自己有帝王之相，不可有違天意。於是在魏州（河北省大名縣）牙城之南築壇，祭告上蒼，即皇帝位。

因爲李存勗姓李，他自認爲是大唐帝國之後，再加上他父親李克用曾經拍著胸脯說：『以前天子臨幸石門，我發兵誅賊臣；當是之時，威震天下，我若挾持天子，自立爲王，誰能禁止我？想吾家世代忠孝立功，你以後應以復興唐室爲己任，千萬不要效法朱全忠！』所以李存勗建國仍爲唐，歷史上稱之爲後唐。事實上李克用是沙陀人，與唐朝可沒有一點沾親帶故。

李存勗是爲後唐莊宗，他稱帝之後，積極要消滅後梁，後梁末帝朱友貞嚇得要命。老臣敬翔知道梁室已危，悄悄把繩子藏到內靴之中，到後宮去找梁末帝。

敬翔對末帝說：『先帝（指朱全忠）取天下，不以臣爲不肖，臣所建議，先帝從無不用。今天敵勢益強，而陛下棄忽臣言，臣身無用，不如死！』說著，自靴內掏出繩子就要上吊。

後梁末帝急忙阻止他，問他有何救國之策？敬翔回答：『事急矣，非用王彥章爲大將不可。』

於是，梁末帝用王彥章爲行營招討使，段凝爲副招討使。

梁末帝問王彥章：『要幾天可以破敵？』

王彥章回答：『三天。』

左右都哈哈大笑，可是王彥章眞的在三天中，沿著黃河南岸，連下德勝城、麻家口、景店諸寨。唐軍損失大半，連唐莊宗都不能不親領大軍對抗。

這個王彥章，乃梁朝一猛將也。使用一支鐵槍，馳突陣中，出入如飛，軍中號爲王鐵槍。王鐵槍把李存勗的軍隊打得自相驚擾，互爲踐踏。若非李嗣源之子李從珂前來相救，連後唐莊宗本人都不保。

王彥章在前線奏捷時，不斷對人說：『等我成功以後，看我回朝誅殺奸臣，以謝天下。』原來當時梁朝朝廷爲奸臣趙巖、趙鵠、張漢傑等把持，王彥章一直受到排擠，他十分看不慣趙張等人的跋扈。

趙張等人知道這個消息，大爲恐慌，私下商議：『我們寧死於沙陀李存勗之手，不能被王彥章所殺。』事實上，這些小人心中想的是：國家亡了無所謂，反正我們可以投降。萬一王彥章凱旋歸來，牛脾氣發作，可就小命不保。

於是，趙張等人在末帝左右竭力詆毀王彥章，所有功勞都記在他的副手段凝帳上。最後，糊裏糊塗的末帝把王彥章調回朝廷，改由段凝擔任行營招討使。前線的戰事，立刻不堪一擊。

唐軍利用此機會，積極展開反攻，莊宗親自指揮大軍直指汴州、洛陽。

他豪邁地立誓：『事之成敗，在此一決戰；若不成功，我們全家集於魏宮，一火焚之。』

發下重誓之後，唐軍銳不可當。過鄆州，渡汶水，迫梁軍於中都。王彥章率數十騎出走，途中遇到唐龍武大將軍李紹奇。李紹奇忽然聽到王彥章的聲音，不覺叫出：『王鐵槍也！』回身挺槍刺之，王彥章措手不及，墜馬就擒被押解入大帳。

莊宗李存勗問王彥章：『你曾說我是鬥雞小兒，何足畏？今天，你服不服？』

『天命已去，夫復何言。』王彥章還是神色不屈。

唐莊宗很欣賞王彥章的才能，派醫生為他療傷，送金帛討好王彥章。

王彥章搖搖頭說：『我本匹夫，蒙梁朝恩典位居上將，與你交戰十五年。今天兵敗力窮，縱然你憐我，我有何面目見天下之人？豈有朝爲梁將，暮爲唐臣，此我所不爲也！』最後，王彥章被莊宗所殺。

好一個『朝爲梁將，暮爲唐臣，我不爲也。』可見儘管生當亂世，還是有保存氣節之忠臣。

閱讀心得

【第356篇】後唐莊宗晚節不保。

在上篇〈王彥章不事二主〉之中，我們說到，後梁末帝朱友貞軟弱無能，又不懂得任用號稱王鐵槍的王彥章，兵敗如山倒。

這個時刻，朱友貞的臣下躲的躲、藏的藏。梁末帝不知如何應付困局，只有天天哭，哭到後唐軍隊到了開封（汴州）城外，惶恐自殺，群臣開門投降。後梁滅亡，只傳了短短的十六年。

此次後唐攻梁，以李克用養子李嗣源功勞最大。後唐莊宗李存勗喜不自勝，用手拿著李嗣源的衣角，頻頻用額頭碰觸，並且說：『吾有天下，卿父子功也，我與你共享此天下。』

據說李克用臨終時，曾經把三支箭交到後唐莊宗李存勗手中，對他說：『梁是我的仇人，燕王是我的仇人，契丹與我結爲兄弟，後來背叛我歸唐，三個都是我的仇敵。我現在把三矢交給你，你不要忘記爲父的志向。』因此，在後唐莊宗出戰時，每次都不忘以錦囊負矢，所向無敵，意氣豪邁。現在，他果然完成老王的遺志，把後梁給消滅了。

這時，後唐莊宗入告太廟，還矢先王。大家看他處變不驚，臨危受命，都暗暗忖度，這必定是一個英明之王，百姓有福了。

可是，事實的發展往往出人意料之外。以前我們講唐玄宗開元之治時，

那是何等恢宏的氣魄，可惜到了晚年，寵愛楊貴妃，鬧得天下大亂。同樣的，後唐莊宗也認爲自己辛辛苦苦打了多年戰爭，如今應該享享清福了。莊宗自小就是天才兒童，妙解音律（這一點與唐玄宗也類似），對唱戲的伶人非常寵愛。他不但欣賞戲劇，而且還粉墨登場，取了一個藝名——李天下，對票戲比什麼的都有興趣。

由於皇帝的寵信，許多優伶得以自由出入宮廷。這些伶人沒有什麼程度，到了宮中，侮弄官員，不識大體。官吏們被捉弄了，又不能發脾氣，只能心中嘆氣。

其中有兩個伶人陳俊與諸德源，莊宗竟然一時興起要他倆當刺史，宰相郭崇韜力諫而止。過了一年之後，莊宗對郭崇韜說：『我已經答應他們了，你的話雖然公正，不過應當爲我屈意行之。』

皇帝的話是聖旨，那有什麼辦法，只好照辦。不過，莊宗這個小氣皇帝，對待百戰功高的士兵，往往吝於賞個一官半職；對伶人卻大方極了，所以部將都十分憤恨。

莊宗又寵信一個劉夫人，這位劉夫人是一個算命術士的女兒，也許因爲出身寒微，既然一朝得貴，積極地蓄財營商，連生果、蔬菜都要販賣抽成。她當上皇后以後，規定：凡是四方貢獻，要準備兩份，一份給天子，一份要孝敬她。

劉夫人搜括來的錢，除了寫佛經、施僧尼之外，一毛不拔。她之所以對僧尼特別客氣，大概認爲如此能洗清罪惡，免下地獄。

為了要滿足皇帝的享樂，民不聊生。莊宗又喜好打獵，有一次在中牟地方打獵，中牟縣縣令在馬前勸諫：『陛下為民父母，奈何毀棄人民賴以維生之稼作，使人民輾轉死於溝壑？』

莊宗惱羞成怒，有一個優伶敬新磨上前一步，斥責中牟令：『你為縣令，難道不知道天子喜好打獵？你為什麼要放縱人民耕種，存心妨礙我天子之馳騁，你簡直該死！』

這番無理的話把莊宗逗笑了，不再追究中牟令。

由於伶人懂得討莊宗歡喜，自然四方藩鎮急著與伶人交結。其中有個叫景進的伶人是個包打聽，每次都去探聽一些民間亂七八糟的事，回來稟報莊宗。莊宗看到景進，知道又有好聽的新鮮話，馬上笑開了臉。

又有宦官向莊宗建言：『最近洛陽宮殿之中，時時鬧鬼，這是因爲掖庭空虛。想唐懿宗、僖宗時代，六宮粉黛，不少於萬人，熱熱鬧鬧，多好。』莊宗一聽，怦然心動，他命宦官王允平、伶人景進，去民間采擇美女，甚至遠到山西、河北一帶去尋覓佳麗。一共挑了三千多佳麗，一牛車一牛車往宮中送。一路上民衆怨聲載道，自不在話下。

六月夏日，天氣悶熱，莊宗熱得受不了，想在禁中高處，建一座大樓納涼。宦官不斷在莊宗身旁慫恿道：『臣見長安全盛之時，大明宮、興慶宮房舍數以百計。今日陛下連個避暑之所都沒有，居住的宮殿，連當時公卿的屋舍都不如。』

宦官見莊宗動了心，又澆盆冷水：『宰相郭崇韜恐怕不答應。』

『我用內府錢，無關經費！』莊宗被這一激，更非動工不可。可是又怕郭崇韜嘮叨，把郭崇韜找來說：『今年的夏天特別熱，記得以前朕在河口與梁人相戰，披甲乘馬，還沒這麼熱。如今居深宮之中，反而熱不可當，奈何？』

郭崇韜也不客氣，直言頂了過去：『陛下昔在河口，強敵未滅，深念仇恥，雖有盛暑，不以爲懷。今外患已除，海內賓服，所以雖居珍臺閒館，猶覺鬱蒸。當陛下不忘艱難之時，則暑氣自消也。』

莊宗低下頭，有點兒良心發現。宦官在旁說：『崇韜之第，無異皇居，當然不知陛下之熱也。』於是，莊宗又心一橫，大興土木。

做人是很辛苦的，年少時要努力，年老時也不能放鬆，否則便會晚節不保了。表面上看起來，後唐莊宗前後判若兩人，似乎不可思議。其實，人性本來就是好逸惡勞，稍一放鬆均不可，我們現代人不也是愈來愈怕熱？

【第357篇】後唐明宗之治。

在〈後唐莊宗晚節不保〉之中，我們說到，莊宗不理會郭崇韜之勸，貪於逸樂，弄得民不聊生。

不過，此時後唐的國勢還算強盛，因此當莊宗派遣使者去前蜀觀察形勢，使者回來說：『蜀主荒淫無道，君臣上下講究奢侈生活』之時，莊宗有意出兵攻蜀。

五代政府所能控制的地區很小，大概只有河南、山西、山東一部份。

全國其他地區分裂成許多國，號稱爲十國，前蜀是其中一國。

前蜀的地方，在今天四川及陝西南部地區，由王建創立。王建原是一個混混，靠盜驢、販賣私鹽過活。因爲他排行第八，又是三隻手，有一個諢號叫『賊王八』。

王建原是黃巢手下，後來依附宦官田令孜，在亂世之中，搶到四川這塊地方，建立蜀國。王建雖是個目不識丁的粗人，當了皇帝以後，倒能收拾賊王八的惡劣作風，與儒生交往。所以朱溫篡唐以後，唐朝許多遺老，紛紛遷往蜀國居住，有唐朝之風也。

蜀國，古稱天府之國，物產豐饒，在王建當權之際，蜀國極爲強盛。但是到了他的兒子王衍，卻是一個昏聵之君主——喜歡踢毬。於是把自宮

中到街道，沿途都設置了錦幛，一路踢出宮去。

王衍喜歡飲酒賦詩，他詩中有一句名言：『有酒不醉是癡人』，爲著表示他不是癡人，日夜痛飲。所以後唐莊宗派來的使者到了蜀國，看到上下一團糟，回去對唐莊宗說：『以臣觀之，只要我大兵一臨，土崩瓦解，翹足可待也。』

於是，唐莊宗就命兒子李繼岌爲元帥，郭崇韜爲副元帥，前往伐蜀。蜀主王衍不相信莊宗眞會帶兵前來，依舊悠哉遊哉的到甘肅天水去尋幽訪勝。等到唐兵已至，王衍方才急急忙忙奔回，與群臣在文明殿相對哭泣。一把眼淚、一把鼻涕穿上白衣，以草繩繫著脖子、披著麻、光著腳，到唐軍投降。

這場戰役，不過進行了短短七十天。前蜀十道，六十四州，兩百四十九縣，俱入後唐。蜀國固然是腐朽不堪，後唐的腐敗不久也馬上顯現出來。

在洛陽的宦官，全力向莊宗進讒言，說郭崇韜懷有異心。郭崇韜本來是個忠言之士（見上篇），他所說的話，不免聽來逆耳。因此，莊宗不詳加調查，把郭崇韜與他的兒子一併處死。

郭崇韜一死，天下大亂，功臣舊將個個疑懼，謠言滿天飛。竟然有人傳言，莊宗已被劉皇后所殺，在這個亂哄哄的時刻，趙在禮首先發難。

莊宗準備御駕親征，可是宰相等紛紛勸他：『京師者，天下根本，雖四方有變，陛下宜居中以制之。』那麼，只有找後唐第一員大將李嗣源了。

李嗣源是先王李克用的養子，出身沙陀平民。李克用有許多養子，一部份用存字作排行，一部份用嗣字爲排行。李嗣源就是嗣字排行之一，擅長騎射，莊宗滅後梁，他的功勞最大。

這個時候，莊宗開始要收買人心，拿出內府金帛。宦官、伶人也怕了，也獻出財物勞軍。此時軍隊生活清苦，軍眷都只有到郊外撿拾野果過活。當軍士們拿到賞賜的財物，不領這個情，氣憤地怒罵：『我的妻子都餓死了，得到這些有什麼用？』

李嗣源前去討伐亂兵，不料，兵至鄴都，部下張破敗作亂。張破敗這個名字眞奇怪，怎會叫破敗？張破敗等殺都將，燒營房，表示不滿莊宗，有意擁李嗣源爲帝。李嗣源本來想逃出城，向莊宗解釋，但是他的女婿石敬瑭（就是歷史上有名的兒皇帝石敬瑭）勸他說，莊宗疑心病重，不會相信的，李嗣源遂決定謀取自立。

這時，莊宗得到消息，不能不御駕親征了，可是兵士們長久的不滿正式爆發。當莊宗出發時，從駕兵有兩萬五千，等到到達汜水，已逃了一萬多。以後，每次遇到道路狹窄，看到衛兵執兵仗者，他都好言籠絡道：『剛才魏王又拿來金銀五十萬，到京師時賞給你們。』

軍士們搖搖頭，把手一推道：『陛下賜與太晚，沒有人會感恩的。』就在這種離心離德的情況之下，莊宗被殺。想他當初報父仇，平後梁，簡直可與光武中興媲美，可惜後來忘卻櫛沐之艱難，以致伶人亂政，落此下場。

李嗣源即位是爲後唐明宗，明宗不認識字，沒有文學修養。但他比起莊宗這個風流倜儻的才子皇帝，對人民而言，可要好得太多。

明宗首先針對莊宗弊政，加以改革。禁止中外諸臣獻珍玩等物，宮內只留下老宮女一百人、宦官三十人、教坊（樂隊）一百人、鷹坊（養鷹畋獵）二十人、御廚五十人，非常簡單。宦官在宮內不能生存，或逃入山林，或落髮爲僧。不到一年，國家漸漸穩定。

明宗是個文盲，卻懂得敬重讀書人，四方奏章由安重誨誦讀。也曉得文化之重要，在長興三年用雕板刻印九經，是中國文化史上一件大事。

明宗稱帝七年之中，戰事稀少，時有豐年，百姓得以喘一口氣。在五代十三個皇帝之中，只有他與後周世宗稱得上是位明主，因此歷史上稱之爲明宗之治。

閱讀心得

【第358篇】

耶律阿保機崛起。

在上篇〈後唐明宗之治〉之中，我們說到，明宗雖無學識，頗知勤政愛民，維持了一段小康局面。

明宗去世之後，其子李從厚即位，是爲閔帝。閔帝缺乏威信，被明宗養子李從珂奪去帝位，歷史上稱之爲後唐廢帝。

廢帝是明宗的養子，甚得寵信。另外，明宗還有一個左右手，那就是女婿石敬瑭。此二人都勇健好鬥，向來彼此猜忌，不過礙著明宗面，只能暗鬥，不能明爭。

這會兒，廢帝即位，石敬瑭不得不自任上的河東節度使趕來入賀。入賀完畢，不敢回去。石敬瑭當時身體極差，爲久病所苦。朝中有的臣子認爲石敬瑭遲早會造反，不能放虎歸山，也有的以爲，用不著猜忌石敬瑭。

唐廢帝看石敬瑭瘦得一把骨頭的模樣，心忖應該沒有太多好擔心的，下了一個決心：『石郎不但是我的近親，而且自小與我共赴艱難。現在我當了天子，除了石郎還有什麼人值得託付？』於是，依舊任命石敬瑭爲河東節度使。

石敬瑭回到鎮上之後，暗地裏賄賂太后身邊的人，悄悄打聽皇帝一切動態。然後，凡是有賓客前來，石敬瑭總愛與人討論病情，而且皺著眉，

喘著氣，一副久病之後，萬念俱灰的神情，希望朝廷不要猜忌他。

事實上呢，石敬瑭大量採購軍品、糧食，大家都曉得他心懷異志，這個消息不久也傳到廢帝耳中了。

有天夜晚，廢帝與幾個近臣商量道：『石郎與朕爲至親，應該沒有什麼好懷疑的；但是不斷有流言傳出，萬一那一天失歡了，該如何是好？』幾個臣子都沒有話回答。

第二天，端明殿學士給事中李崧對同僚呂琦說：『吾輩受國恩深厚，怎可與其他人一般，靜坐觀看，總該想點辦法才是。』

呂琦沉思了好一會兒，緩緩地說：『河東若有異謀，必結契丹以爲援。以前契丹屢次要求和親，我們都沒答應，如果今後我們每年給契丹十多萬緡，再應允和親，還怕河東與契丹聯手嗎？』

契丹族原是東胡遊牧民族的一個支族，住在中國東北遼河上游潢水流域一帶，初分爲八部，每個酋長都稱爲大人。契丹自武則天以後，開始叛服無常。到了唐朝末年，契丹族中出了一位英雄人物——耶律阿保機。

阿保機有統一契丹的野心，他的妻子述律氏極有權謀，會耍手段。阿保機用了述律氏的計謀，對其他部大人們說：『我有鹽池，可是你們只知道食我的鹽，也不曉得該感謝鹽池主人。』

於是，其他諸部大人帶著酒，牽著牛來到鹽池之上，舉行了一個熱熱鬧鬧的慶功宴。酒醉飯飽之後，阿保機把七部大人一齊殺光，兼併七部土地。

由於述律后勇敢果決，所以耶律阿保機的軍國大計，述律后都參與其謀；不僅如此，這位女強人本身也能帶兵打仗。有一回，阿保機外出與黨項交兵，留述律后在營帳，黃頭、臭沼兩個部族乘虛合兵掠奪。述律后知道了，不慌不忙，暗中部署兵馬。等到此二部族前來，馬上奮勇還擊，把他們打得頭破血流逃命。從這以後，述律后三個字名震諸夷。

這時，據守河北一帶的劉守光因爲局勢衰困，派遣參軍韓延徽向契丹求援。韓延徽到契丹，堅持不肯向阿保機下拜；阿保機十分火大，罰韓延徽到牧場去養馬。

韓延徽乃幽州人士，有智略，頗有文才。述律后對阿保機說：『延徽守節不屈，此今之賢者，爲何要對他加以侮辱，應該禮賢下士，大大重用他。』這位述律后倒是懂得為政之理，單單兵強馬壯是不夠的。

阿保機接納了述律后的建議，重用韓延徽，築城郭，立市里，墾荒田，讓境內漢人也能安家立業，漸漸契丹能夠威服諸國。

李克用與朱全忠火併之時，李克用曾遣使通好契丹，與阿保機在雲州握手言歡，以兄弟相稱。不料，阿保機又受朱全忠之封，把李克用氣得跳腳。所以李克用臨終時交給李存勗三矢，要他報仇，其中之一就是報契丹之仇。

耶律阿保機在後梁貞明二年稱皇帝，自號為天皇王。阿保機不久去世，由其子耶律德光即位，這是契丹崛起的一個大概。可見有勇還要有謀，國勢才會壯大。

李崧聽了呂琦建議勾結契丹之計，十分贊成，兩人就去找廢帝。廢帝一聽，大爲開心，頻頻讚許此二人忠心耿耿。

可是，過了不久，廢帝把計謀告訴樞密直學士薛文遇。文遇不以爲然，臉色一沉道：『以天子之尊，屈身侍奉夷狄，這不是太侮辱了嗎？而且，若是他們要娶公主，那又該怎麼辦？』

停了一會兒，薛文遇又順口吟了一句：『安危託婦人。』這是唐朝詩人戎昱爲王昭君而寫的詩。意思是嘲弄漢元帝無能，沒有力量與匈奴一戰，竟要把漢朝的安危寄託在一位女子的身上。

廢帝聞此，臉色一陣青一陣白，把李崧、呂琦叫到後樓，狠狠臭罵一頓：『你們也讀過書，知古今大事，應該輔佐天子謀太平，怎麼想出這種計謀？朕只有一女，尚在乳臭，你們忍心要把這個小女孩扔棄在沙漠之中……而且竟然要朕把養國家軍隊的錢，拿去供給夷狄虜廷使用。你們說說看，這到底是什麼意思？』

這頓脾氣發下來，嚇得此二人汗流浹背，跪在地上討饒：『臣等志在竭愚以報國，願陛下察之。』這兩人不斷把腦袋往地上撞，直撞得廢帝怒氣已消，才夾著尾巴逃出去。

閱讀心得

【第359篇】

兒皇帝石敬瑭。

上一篇我們說到後唐廢帝與石敬瑭不合，臣子建議聯絡契丹，斷石敬瑭的後路，被廢帝嚴拒了。

當然，廢帝心中對石敬瑭，依然有猜忌。石敬瑭的妻子，原是後唐明宗的公主，她在洛陽過完千春節，想要辭別母后（明宗之妻曹太后）返回太原時，廢帝竟然問她：『你那麼急急忙忙離開洛陽幹什麼？莫不是要回去與石郎（指石敬瑭）造反！』

消息傳到太原，石敬瑭十分驚恐。他要試探廢帝的意思，一連上了幾個表，自陳身體衰弱，乞求解除兵權，遷移他鎮（當時，石敬瑭乃河東節度使，河北重鎮也）。

石敬瑭的表到了京師，廢帝召集大臣們討論，其中薛文遇（即是反對廢帝勾結契丹者，見上篇）說：『以臣觀之，河東遲早要造反的，遷也反，不遷也反，還不如早日圖之。』

廢帝一聽，拍著大腿說：『卿言正合我意。』於是調遷石敬瑭爲天平節度使。

石敬瑭沒料到廢帝眞的對他動手了，憤憤不平抱怨：『我這次再來河東，主上當面許我終身不調遷；如今我不過試試他，他竟然就要下令把我

調到天平。我雖然不作亂，朝廷卻懷疑我，我豈能束手就擒死於道路。』

書記桑維翰在旁說：『明宗遺愛在人，公爲明宗最疼愛的女婿，主上反而以逆相待。契丹素與明宗約爲兄弟，且其部落在雲、應（山西大同一帶），公誠能推心屈節侍奉契丹，萬一有急事，朝呼而夕至，還擔心什麼？』石敬瑭一聽，馬上命桑維翰草表，向契丹稱臣，而且願意以侍奉父親的禮節侍奉契丹。這比較起來，廢帝可有骨氣多了。

此時的契丹君主耶律德光年紀很輕，不過三十四歲，四十五歲的石敬瑭卻急著喊他爸爸，而且準備割盧龍一帶及雁門關以北給契丹。石敬瑭的部下劉知遠看不過去，上諫：『稱臣夠了，以父親事之，未免太過分。而且多送金帛就可以了，不必割讓土地，不然會爲中國留下大患，悔之無及。』

石敬瑭聽不進去，他已經被皇帝夢沖昏了腦袋，使出渾身解數要討好契丹。當石敬瑭要向契丹稱臣的表到達契丹時，耶律德光興奮莫名，急著報告母親：『兒最近夢到石郎遣使來，今天果然如此，看來是天意啊……』然後，立刻回信，說是等到秋天以後，必傾國赴援，答應收石敬瑭這個兒子了。

秋高馬肥，而且氣候乾燥，弓弦堅勁適用。所以契丹大舉，必等到秋天，歷來的胡人均是如此。

既然有了契丹撐腰，石敬瑭就不客氣的寫了一封檄書。書中指責廢帝是養子，不配繼承皇位，要求傳位給明宗之子許王從益。廢帝看了，大為生氣，當場把檄書撕成一片片，並且盡削石敬瑭官爵。

九月間，契丹帶領五萬騎，浩浩蕩蕩南下。在十五號晚上，石敬瑭出晉陽北門，見到耶律德光，兩人手握著手，大有相見恨晚之意。

唐軍果然不是契丹的對手，派出的大將張敬達又是一個無知的勇夫。後唐廢帝每天愁眉苦臉，日夕酣飲悲歌；群臣勸他北行，他也不肯。到了後來連聽到石敬瑭三個字都打哆嗦：『卿等勿再言石郎，使我心膽墜地。』另一方面，唐軍大將軍趙德鈞、趙延壽心懷異志，故意逗留不前，使得石敬瑭能夠安然包圍著晉安寨。耶律德光對石敬瑭說：『我三千里遠來赴難，必有成功的一天。我看你的器度容貌識量，眞正一副中原之主的模樣，我要立你爲天子。』

這本來就是石敬瑭的意思，心中一千一萬個答應；表面上呢，不斷辭讓。旁邊的臣子一再勸進，如此推推拉拉了四五回，石敬瑭方勉勉強強答應。

於是，契丹下冊書，立石敬瑭爲大晉皇帝，歷史上稱之爲後晉。

在契丹的冊書之中，記載著『我們倆是近親，其實原本是一家。所以我視你爲兒子，你待我如父親，朕永與你爲父子之邦，保山河之誓……』

石敬瑭接受契丹冊書之後，在柳林築壇，即皇位。爲表示對新爸爸的孝敬，割讓了幽州、薊州、瀛州、莫州、涿州、檀州、順州、新州、嬀州、儒州、武州、雲州、應州、寰州、朔州、蔚州等燕雲十六州給契丹，並且每年再送帛三十萬匹給契丹。

自此而後，中國的北方門戶大開，邊防盡失。燕雲十六州自此以後，長期陷入契丹之手。宋朝初期雖有收復之心，卻也始終沒有收回，一直到明太祖朱元璋，推翻了蒙古帝國，方才重歸漢人所有。同時，石敬瑭孝敬金帛，亦開啓中國對外割地納款之端。

石敬瑭雖如願以償當上皇帝，這個皇帝的背後卻藏著屈辱。他不惜出賣國土，自稱兒皇帝。因此後世人沒有一個人看得起他，呼之爲賣國賊。人死留名，豹死留皮，石敬瑭留下的是被人恥笑的臭名。

閱讀心得

【第360篇】

無恥的趙德鈞父子。

四十五歲的石敬瑭，爲了一圓皇帝美夢，不惜喊三十四歲的耶律德光爲爸爸，當上晉朝皇帝。他爲了感謝父親，割讓燕雲十六州給契丹，留下無窮的禍患。

石敬瑭固然受盡天下人恥笑，卻也引來一些無恥小人暗暗羨慕。其中之一就是後唐幽州節度使趙德鈞與其子趙延壽，一心一意想要效法石敬瑭。

因此，趙德鈞與其子趙延壽，在後唐與後晉正拚得火兇之際，軍隊故意逗留不進。而且一再上表給廢帝，要求爲其子延壽求一個成德節度使，他的理由是『臣今遠征，幽州勢孤，假如延壽在鎮州（成德節度使的治所在鎮州），左右便於應接。』

正被石敬瑭與契丹聯軍弄得心煩意亂的廢帝接到上表，更加焦躁。他氣憤地說：『延壽要去打賊人，那有時間往鎮州，等賊平了，當如所請。』

趙德鈞不死心，還是一個勁兒要求。廢帝火大了，恨恨地表示：『趙氏父子一定要得到鎮州，到底是什麼意思？假如眞能討平賊人，就是我這個皇帝寶座讓給他，我都甘心，否則豈不讓石敬瑭漁翁得利。』

趙德鈞聽了，老大不開心。於是，他獻給契丹君主耶律德光大批金帛，

並且寫了一封信，派了使者恭敬呈上。信上說：如果契丹肯立趙德鈞爲帝，德鈞願意領兵南取洛陽，不煩契丹兵援助。同時與契丹約爲兄弟國，允許石敬瑭繼續在河東當皇帝。

耶律德光覺得軍隊深入唐境，後路空虛，且趙德鈞父子兵力甚強，因此對這個建議頗爲心動，很想滿口答應。

石敬瑭聽說半路殺出一個程咬金，想與他分一杯羹，嚇慌了手脚，立刻派遣桑維翰前來阻止。桑維翰見到遼太宗耶律德光，可憐兮兮地哀求：『大國舉義兵以救孤危，一戰而唐兵瓦解，退守一柵，食盡力窮。趙北平（指趙德鈞）父子二人不忠不信，懼大國（指契丹）之強，何足可畏？而且等到晉朝得到天下，將竭中國之財以奉大國，大國又何在乎此區區小利？』

耶律德光搖搖頭道：『你有沒有見過捕鼠者，一不小心，還會被老鼠咬一口，何況趙氏父子總是大敵。』

桑維翰趕緊回答：『現在大國已扼住後唐的咽喉，這隻老鼠又怎能再啃人呢？』

耶律德光微笑道：『我不是要違背前約，只是兵家權謀之計，不得不如此。』

『皇帝以信義救人之急，四海之人，都看得清清楚楚，怎能大義不終？』

桑維翰說完之後，看看耶律德光面無表情，撲通一聲，雙膝落地；從早到晚，哭哭啼啼，苦苦哀求，怎麼也不肯站起來。

耶律德光被桑維翰搞煩了，也為石敬瑭的『孝心』感動了。於是，他指著營帳前的石頭，對趙德鈞派來的使者說：『我允許石郎，等到這塊石頭腐爛以後才能更改。』

雖然，後唐有趙德鈞這種厚顏小人，也還有一二忠直之士，譬如外號爲張生鐵的張敬達。張敬達個性剛正，就像生鐵一般堅硬，當時駐守在晉安寨。他很能打仗，但是芻糧耗盡，死了的馬則由將士分食之。

在這種情況之下，張敬達的手下楊光遠、安審琦都勸敬達投降契丹，敬達不肯。另一將領高行周看出楊光遠有意殺掉張敬達投降，心中放不下，常常派兵在張敬達身後悄悄跟著。

張敬達發現了，好生奇怪，對人說：『行周老是派兵跟在背後，他這是什麼意思啊？』

從此，高行周不敢再當保鏢。楊光遠逮住機會，把張敬達殺了，拿著他的首級去邀功。

耶律德光見到楊光遠來降，賜以裘帽，不過心裏很看不起這種變節之人，拍拍他的肩道：『你不愧爲大惡漢。』楊光遠也不禁羞紅了臉。

對於張敬達，耶律德光心中倒是非常佩服，予以厚葬，並且對屬下訓話：『你們這些爲人臣者，應該要效法張敬達。』

再說前面那位想當皇帝的趙德鈞父子，逃往潞州。石敬瑭隨契丹兵到潞州，寃家路窄，趙德鈞父子出城迎拜，被契丹抓住，囚禁起來，送回契丹。

當趙德鈞父子見到耶律德光時，諂媚地請安：『別後安否？』

耶律德光別過臉去，懶得理他們。

這對無恥父子，拜見述律太后，把家中珍寶全數奉上，又獻出田宅，希望免罪。

述律太后寒著臉：『你最近爲何去太原？』

『奉唐主之命。』

『你胡說！』述律太后指著天道：『你明明是去向我兒子求爲天子，爲什麼要亂講？』

然後，述律太后又指著心說：『此不可欺也！』『你若要當皇帝，爲什麼不先擊敗我兒子，再圖爲天子，未爲晚也。你身爲人臣，背叛其主而不能抗敵，還想乘亂邀利，混水摸魚，你還有何面目活在世上？』

趙德鈞低下頭不敢開口。

述律太后又問：『器玩在此，你獻的田宅呢？』

趙德鈞以爲有希望了，清一清喉嚨大聲回答：『在幽州。』

『幽州現在屬於誰人所有？』

『屬太后。』趙德鈞又有聲音了。

『那還用得著你獻嗎？』

趙德鈞受此奚落，憂鬱愁悶，不思飲食，一年而卒。

閱讀心得

【第361篇】晉出帝與十萬橫磨劍。

在上篇〈無恥的趙德鈞父子〉之中，我們說到，石敬瑭如願以償的當上了皇帝，是爲後晉高祖。

後唐廢帝聽說『石敬瑭稱帝以後，將士爭先恐後降敵』，心慌意亂，最後廢帝與劉皇后登玄武樓自焚而死，後唐享國只有短短十三年。

石敬瑭入主洛陽，上尊號於契丹主耶律德光及太后，稱耶律德光爲父皇帝，上表稱臣。那位曾經跪在契丹營帳外面，自朝至夕，哭哭啼啼，喋喋力爭的桑維翰如願以償的當上宰相，因爲耶律德光以爸爸的身分對石敬瑭說：『桑維翰是盡忠於你的人，你應該重用他。』

中國人心目中的謙謙君子應該是不亢不卑，合於自己的原則。通常一個對上面過分巴結阿諛的人，往往也是對下面最作威作福的人，桑維翰就是典型的例子。

桑維翰生得奇矮，上身長下身短，臉又特別寬，初見他的人往往忍不住笑了起來。桑維翰十分惱怒，時常對著鏡子道：『哼！七尺之軀有什麼了不起，還不如我臉有一尺之闊。』由自卑轉爲自大，不擇手段想出人頭地。

石敬瑭對契丹這位新爸爸伺候得無微不至。每回契丹有使者前來，他

都特別離開正殿，到別殿去跪下接受耶律德光的詔令。除每年奉上金帛三十萬以外，凡是吉凶慶弔，隨時獻上禮物，一些個玩好珍異也不斷地往契丹送。

石敬瑭不但是孝敬耶律德光一人，述律太后、元帥太子、南北二王、韓延徽等統統都要上上下下打點，連契丹朝廷中的重要臣子也都要加以賄賂。同時，契丹方面稍稍有一點不如意，立刻予以嚴詞責備，簡直難伺候到了極點，石敬瑭也不以爲意，總是謙卑地認錯。

如果是晉朝方面的大臣到了契丹，契丹那種驕倨目中無人的神態，常把使者整得欲哭無淚。當使者回到晉朝，向朝廷報告出使的經過，沿途所受羞辱，朝野上下都視爲一大恥辱；但是石敬瑭晉高祖本人，卻絲毫不以為意。

其中成德節度使安重榮反應最為激烈。每次契丹使者路過，他都要予以謾罵侮辱一番，以洩心頭之恨；並且曾數度上表，反對高祖把契丹當父親。

有一回，安重榮竟然把契丹使殺了並且叛變。高祖大為生氣，下詔責備安重榮：『你身為大臣，家有老母，棄君與親。我因契丹而得天下，你因我而得富貴，我不敢忘契丹之德，爾乃忘之，何也？』說得好像自己不忘契丹之恩，是個有道德的仁人君子。

晉高祖又遣使向契丹謝罪，迭迭抱歉：『安重榮之事譬如家有惡子，父母不能制服，又能如何？』

另外，桑維翰又不斷提醒晉高祖：『陛下免於晉陽之難而有天下，皆契丹之功也，不可負之。臣觀契丹數年以來，戰必勝，攻必取，割中國之土地，未可與爲敵也。』

反正，桑維翰這番話，表面上冠冕堂皇，其實都是長他人志氣，滅自己威風，十足表現懦弱畏敵的投降者心態。晉高祖倒是頗爲讚賞，他對桑維翰說：『朕近日煩悶不決，今見卿奏，如醉醒矣，卿勿以爲憂。』

於是，晉高祖自始至終抱著巴結契丹爸爸的法寶，希望能保住皇帝位置。可是晉高祖身體本來就不夠強健，又一天到晚憂心忡忡，擔心得罪父皇帝，最後鬱鬱而終，這也算是賣國賊的悲慘命運。

晉高祖去世，晉出帝石重貴即位。本來高祖遺命石重睿爲帝，但是天平節度使景延廣認爲石重睿太小，另立石重貴爲帝。

石重貴原爲齊王，是高祖姪子，因爲父親早逝，過繼給高祖當兒子。當高祖受契丹冊命要去洛陽時，耶律德光要留高祖的一個兒子守晉陽，高祖對耶律德光一向順從，把兒子都叫出來讓耶律德光挑選。

耶律德光指著一個貌似高祖的說：『此大眼兒可也。』這大眼兒便是石重貴。

如今，這個大眼兒由景延廣立爲新帝，羣臣集議，認爲應向契丹報喪，然後，新皇帝再奉表稱臣。景延廣是一個主戰派，他以爲稱孫足矣，不用再稱臣。

此次，另一個小桑維翰李崧說：『屈身以爲社稷，何恥之有？』這倒是妙人妙事，似乎一國之君向人稱臣，還算捨己爲國哩。

景延廣據理力爭，出帝接受他的意見，對契丹只稱孫，不再稱臣。

耶律德光看到這一份表，果然光火，立刻派遣使者責問：爲什麼不先稟告，自作主張稱皇帝？

景延廣也不甘示弱的回嘴，並且對契丹來洛陽的商務官不客氣地說：

『你回去告訴你家主人，先帝是你們北朝所立的，因此奉表稱臣。今上（指晉出帝）乃中國所立，之所以還對你們稱孫，正是表示不忘先帝盟約，於此足矣，斷斷沒有再稱臣之理。

『你們北朝皇帝也不要太輕侮中國，中國兵強馬壯，你可是親眼目睹的。翁怒則來戰，孫有十萬橫磨劍，足以相待。萬一你北朝他日爲孫所敗，則取笑天下，後悔可來不及了。』

景延廣一口氣口沫橫飛說了半天，還不夠；他還把這一段話寫下來，叫商務官帶回契丹，拿給耶律德光看。

耶律德光看了信之後又將如何？祖孫之間會展開大戰，十萬橫磨劍有用嗎？

閱讀心得

【第362篇】

趙延壽與杜威。

在上篇〈晉出帝與十萬橫磨劍〉之中，我們說到，石敬瑭去世之後，石重貴即位，是爲出帝。景延廣建議以後對契丹稱孫可也，不用稱臣，而且對契丹使者說：『中國兵強馬壯，你親眼目睹，翁怒則來戰，孫有十萬橫磨劍以待。』

景延廣怕使者記不清楚，還特別把這段話寫了下來，叫他帶回去給耶律德光看。

耶律德光看了，果然是大發雷霆。剛好這時那無恥的趙德鈞已死，其子趙延壽希望完成其父志願，代替晉出帝稱帝於中國。就以降臣的身分，不斷在耶律德光面前挑撥，自告奮勇，出兵攻晉。

耶律德光被趙延壽說動了，決意出兵。他集合契丹的大批人馬共五萬人交給趙延壽，並且說：『你若能打下中國，你就是中國皇帝。』德光又常指著趙延壽對漢族人說：『這是你們的主人。』

趙延壽聽了，大爲振奮，一心一意爲契丹盡力，謀畫攻取之策。

契丹大舉入寇，那位準備用十萬橫磨劍一戰的景延廣，下了一個荒唐的命令。他下令諸將領各自爲戰，不得互相救助。在景延廣看來，如此各帶兵官沒有後援，個個必能奮勇殺敵。結果，契丹正好各個擊破，將領們

泣訴求援都相應不理。

幸虧，當契丹到黃河渡江一半，晉軍之中李守貞揮兵掩殺，溺死契丹數千人，阻扼了契丹的攻勢。契丹一火之下，轉怒於中國民兵，凡是被擄獲的都拿火來烤。這火一烤，激起了晉軍的憤怒，同心合力抵抗契丹。

因此，當親征的耶律德光登城一望，見晉軍之盛，對左右說：『你們不是說晉軍早已餓死一半，怎麼還有這許多。』於是分路撤兵，沿途所過，方圓千里被搶得乾乾淨淨。

景延廣的十萬橫磨劍只是嘴巴上講得好聽，並沒有實力；經此挫敗，日夜縱酒。晉出帝再也不敢重用主戰派，起用投降派桑維翰為宰相，以河東節度使劉知遠為北面行營都統，杜威為招討使。

劉知遠在河東早有力量，晉出帝對他有戒心，對人說：『此次契丹前來，劉河東（指劉知遠）會師太晚，必有異圖。』出帝只相信杜威。

杜威者，乃石敬瑭的妹夫——宋國公主的丈夫，皇親國戚，怯懦膽小。當他鎮守恒州時，契丹過境，他嚇得把城門緊閉，讓鄰城任由契丹焚殺，卻因爲裙帶關係，官運節節升高。他以鎮守邊境爲名，大量聚斂民財，富有之家的珍寶、駿馬都逃不過他手，漂亮的女子也逃不過杜威手掌。

過了不久，契丹軍又再次南征，這次軍隊之中大部份是被迫當兵的漢軍，不肯拚全力作戰，只有再次北返。契丹軍經過祁州時，祁州刺史沈斌出兵痛擊，不過祁州只是孤城，立刻被契丹兵包圍住，趙延壽站在城下對沈斌說：『沈使君，我們可是老朋友了，古人說兩害相權，取其輕者，你爲什麼不早日投降？』

『你父子二人走錯了路，陷身虜廷，你忍心率犬羊殘害父母之邦，不知羞恥反有驕色。我沈斌弓折矢盡，寧可爲國而死！』沈斌義正辭嚴拒絕趙延壽。第二天，沈斌自殺，在亂世中保存一份正氣。

出帝聽說契丹已退，親自帶兵，奪取幽州，任用杜威爲大將。契丹用火攻，用短兵擊晉軍，晉軍著急大喊：『杜招討使爲什麼還不下令反擊？莫非等死？』

杜威不慌不忙回答：『等風勢稍緩，再看情形。』

大將李守貞道：『等到風停，我軍早被殲滅。』於是李守貞等帶著部隊力搗契丹軍，把契丹趕走。

杜威看到附近已被契丹搜括一空，無利可圖，竟然擅自回到了開封。連投降派大臣桑維翰都看不過去，建議出帝處罰杜威。出帝聽不進去，他說：『杜威是我至親，必無異心，你不要疑忌。』

出帝被勝利沖昏了腦袋，以爲天下太平，築宮室，造器玩。對優伶一賞就是錦袍銀帶，一賜也在萬錢之上。爲了織一塊地毯，用了數百織工，整整織上一年，可見其富麗精緻到了極點。而且不自量力，懸掛賞格：『有人能擒虜主（指耶律德光）者，授上鎮節度使，賞錢萬緡，絹百匹，銀萬兩。』

這一回，契丹十分聰明，派了人對杜威說道：『趙延壽威望素淺，恐不能在中國當皇帝。你如果能投降，我當以你爲帝。』

杜威聽了，高興得想飛上青天，馬上寫了降表。把各個將領叫到營帳，拿出降表，要他們簽名。將領們你看我我看你，個個驚訝萬分，但也只有唯唯聽命，不知杜威葫蘆裏賣什麼藥。

當投降之日，杜威把軍士都召集出發，軍士還以爲作戰，都躍躍欲試。杜威曉諭軍士：『我等遠征在外，食盡途窮，我不得不爲你們求一條生路。』一聲令下盔甲棄地，軍士們放聲痛哭。

耶律德光把赭袍衣（紅色長袍）賜給杜威及趙延壽，表示一視同仁。兩人都有當皇帝的希望，此兩人皆竊竊自喜。

閱讀心得

【第363篇】

遼太宗與打草穀。

晉出帝採用景延廣的建議，對耶律德光表示，以後不再稱臣，只稱孫子。德光大怒，一心一意想當皇帝的趙延壽積極鼓勵德光出兵。同時，德光又收買了晉出帝的姑丈杜威，也應允杜威，以後讓他當中國皇帝。

晉出帝萬萬沒有料想到，一向倚若長城的姑丈竟然陣前降敵，憂心如焚。除了痛哭流涕，怒罵杜威洩憤之外，一籌莫展，呆呆坐在宮苑之中，與后妃們相聚而泣。等到契丹兵攻入城門，只有命令翰林學士范質草擬降表，自稱『孫男臣重貴禍至神惑，運盡天亡。』太后也上一降表，自稱為『新婦李氏妾』，簡直是屈辱之至。

接著，出帝脫下黃袍，換上素服，左右都不禁掩面哭泣。出帝率領文武百官身穿素服，跪在路兩旁迎接遼太宗耶律德光。

耶律德光頭戴貂皮帽，身著貂皮裘，威風凜凜入城門。人民看了大叫大嚷，四處逃命。耶律德光登上城樓，對外面宣佈：『我也是人，你們不用害怕，我會讓你們安居樂業的。我本無心南來，是漢兵把我引到這兒的。』

德光看到嚇得半死的晉出帝，拍拍他的肩膀：『我的好孫子，你不用擔憂，我一定讓你有吃飯的地方。』這沒志氣的出帝趕快連連謝恩。

由於德光認為出帝忘恩負義，十分可惡，封他一個負義侯，遷往黃龍

府（吉林省農安縣）居住。

此時，後晉已亡，中原無主。耶律德光把百官召集到廷中問：『吾國廣大，方圓萬里，有君長二十七人。今中國之俗，異於吾國，我選舉一人爲君，你們以爲如何？』

百官們異口同聲回答：『天無二日，夷夏之心，皆願推戴皇帝。』耶律德光也學著中國這套，推辭了半天，最後才勉勉強強地說：『你們既然一定要我爲君主，我只有當君主了。』

於是，耶律德光換下胡服，改戴通天冠，穿絳紗袍，在正殿大模大樣登上天子寶座。命中國人穿戴法服（中國官員的禮服），胡人仍穿戴胡服。後晉正式滅亡，享國十一年。改契丹國號爲大遼，耶律德光是爲遼太宗，契丹太祖耶律阿保機稱爲遼太祖。

杜威與趙延壽本來都想一過皇帝癮，如今希望落空，心中有說不出的懊喪。杜威以皇親國戚陣前降敵，不但失去軍心，也爲一般百姓看不起。走到那兒都有人朝他吐口水，大聲嘲罵，自己心中也明白皇帝無望。

趙延壽可不一樣，他一直興致勃勃，幻想著一朝登上天子位，也可以達到父親趙德鈞的遺志；而且當初遼太宗親口答應的啊，怎麼反悔了呢？既然皇帝當不成，退而求其次，先當個太子也不錯。於是，趙延壽拜託李崧對遼太宗說：『我不敢希望能當上天子，乞爲皇太子。』

太宗回答：『我對燕王（指趙延壽）就是割了我的肉，有益於燕王，我也毫不吝惜。但是我聽說皇太子應當以天子的兒子爲之，他又不是我兒子，怎能當太子。』

好了，這會兒趙延壽連太子也撈不上，除了心中怨恨遼太宗言而無信之外，又有什麼辦法。杜威與趙延壽徒然平白被遼太宗利用罷了；他二人怎會以爲太宗要把天子寶座讓給他們，這眞是利欲薰心，其蠢無比。

遼太宗對自己的手段極爲滿意，他經常飲酒作樂，對後晉舊臣說：『中國的事我都知道，我國的事你們卻不知道。』

趙延壽原爲中國舊臣，他曉得遼太宗對中國的事，其實還有很多並不知道。譬如說，他建議太宗給上國兵廩食，上國兵指的是遼兵，廩食指規定發軍餉。原來，遼出外打仗，從來不發薪餉，任由士兵以牧馬爲名，分番剽掠，稱之爲打草穀，使得中國人民聞遼兵即喪膽。

遼太宗不理會趙延壽的建議，他搖搖頭說：『吾國無此法。』由於遼人與漢人之間語言不通，只有求助於翻譯。這些翻譯多半是市井無賴，地痞流氓，仗著遼人的力量，對自己同胞加以虐待。

因而一般民眾被迫組成一支一支義勇軍，這些義勇軍紛紛擁戴劉知遠，劉知遠為河東節度使，在北方力量頗大，晉出帝對他極為猜忌（見上篇）。契丹破東西二京，自為中國皇帝之後，劉知遠上表入賀。契丹立賜詔褒獎，在劉知遠的名字上面，特別加上『兒子』兩個字，故意表示親密，還賜他一個木柺。根據胡人禮俗，優禮大臣才會賜木柺的。

劉知遠當時認為契丹的野心『止於貨財，貨財既足，必將北去。』可是他下面的軍士都說：『天下無主，主天下者，非我王而誰？』羣下皆呼萬歲。劉知遠半推半就，即皇帝位，仍然未去晉國號。

遼太宗聽說劉知遠即位，分兵遣將，駐守要地。由於胡人軍隊還是不發餉，用打草穀、掠奪人民方法為生，所以相州、密州等都被義兵佔領了。遼太宗煩極了，搖頭嘆息道：『不料中國人如此難治。』

中原雖好，畢竟不是自己家鄉。遼太宗下了一道詔令：『天時向熱，吾難久留。』藉口回北方避暑，探望述律太后，帶著大批人馬，浩浩蕩蕩北歸。一路上搶得乾乾淨淨，例如相州被掠之後，剩下男女七百人，骷髏竟達十餘萬之多。最後遼太宗都後悔了，他說：『我做了三件錯事：第一、不該令諸道搜括作犒費，第二、不該令上國人打草穀，第三，不該留下諸鎮原有之節度使，應讓他們回防。』

閱讀心得

【第364篇】郭威的發跡。

在〈遼太宗與打草穀〉文中，我們說到，太宗耶律德光入據中原，各州縣受不了刑法、苛稅以及契丹不發軍餉，任由士兵四出打劫的打草穀，紛紛起兵抗暴。遼太宗藉口回北方避暑，帶著文武官員回到老家。

遼太宗這一走，便宜了劉知遠，乘虛而入，奪取洛陽，入據大梁，輕輕鬆鬆建立了後漢，是爲後漢高祖。（劉知遠自命爲漢高祖劉邦的後代，因此，國號爲漢，事實上劉知遠乃沙陀人，與劉邦完全扯不上邊兒。）

劉知遠能夠建國，與他手下有一員大將郭威很有關係。郭威年紀很小之時，父母雙亡，由姨母撫養長大。他體格魁梧，愛兵好勇，不事田產，也不愛讀書。

到了十八歲那年，郭威應募兵旅，當時，他年少氣盛。有一回，到上黨市遊玩，遇到一個殺豬的屠夫，這個屠夫力大無窮，上黨市的市民見了他都害怕極了。

郭威偏不信這個邪，他乘著酒興來到屠夫的肉案旁。一會兒要裡脊肉，一會兒要五花肉。屠夫的刀法稍有差池，他就埋怨不已，而且頗不客氣。這屠夫本來就是火氣忒旺盛，被郭威一挑，怒由心生。把菜刀重重的一擱，挺著光禿禿的大肚皮對著郭威：『你小子有種，敢不敢刺我？』

郭威一句不吭，抽出刀子對著屠夫的大肚皮劃去，市場上的人把郭威扭送法辦。官吏憐惜郭威，放他一馬。

後來，郭威加入後唐莊宗旗下，年歲漸長，性格也比較沉穩。他迷上了兵法，時常做筆記、寫心得，而且有機會就到處找人解說兵書。

後來，郭威不願隨大將楊光遠北征，要求留在劉知遠營中。人家覺得好奇怪，郭威說：『楊公有姦詐才，無英雄氣，留我何用？能用我者，劉公也。』

劉知遠把郭威當心腹，果然如願以償當了皇帝。劉知遠稱帝之後，不滿一年，因病去世，其子隱帝即位。

隱帝即位之後，護國節度使李守貞起兵叛變。李守貞自以爲是前朝上將，戰功累累，他又慷慨大方，深得士心。眼看隱帝即位，毛頭小孩一個，遂起叛心。

眞正支持李守貞叛變的原因，乃是他養了一個僧人總倫。總倫老是在他耳邊嘀嘀咕咕，說他將來必爲天子。

李守貞被灌多了迷湯，信以爲眞。有一天，他與將吏們舉行宴會時，一手指著中堂一幅『舔掌臥虎』圖，對著大家宣佈：『我若有非常之福，就一箭射中這老虎的舌頭。』

結果，一發中之，大家都拍手叫好。李守貞得意洋洋，益發對自己有帝王之相深信不疑。

郭威因爲勤讀兵書，對帶兵很有一套，與士卒同甘共苦。士兵受了一點輕傷，他都親往慰問，立了一點小功，郭威予以重賞，微有小過，郭威則睜隻眼、閉隻眼，假裝沒有看到，於是將領們對郭威心服口服。

郭威帶的兵，原來是李守貞的班底。李守貞一心以爲他可坐而待之，不費一兵一卒，輕易等待漢軍一塊到同州投降。

不料這批士卒早已把李守貞的舊恩，忘得一乾二淨，到了城下，揚旗伐鼓，氣勢洶洶。李守貞看呆了，自言自語：『怎麼會這樣呢？不可能的啊。』於是，趕緊把城門關上，不與漢軍交戰。

郭威這一方，也不採取猛攻，偃旗息鼓。只沿著護城河佈哨，把同州四周圍得水洩不通。

李守貞慌了陣腳，屢次想突圍都不成功；把求救信藏在蠟丸之中，找人帶出去求援，也總是被巡邏兵逮住。城中糧食快吃光了，李守貞憂形於色，只有再把活神仙總倫請出來。

僧人總倫一派不慌不忙，正色對李守貞說：『大王當爲天子，人不能奪，不過如今命中有災。等到災難一退，只剩下一人一騎之時，那就是大王鵲起，登大寶，當皇帝之時。』

正在傷腦筋的李守貞聽著好樂，可惜樂了沒有好久，在裏無糧草，外無救兵的情形之下，與妻兒自焚而死。郭威入城，同州亂平，那位總倫和尚也被送入刑場。算命的話那兒能當眞？偏偏從古到今，有太多人迷信自誤。

李守貞之亂平定，按理來說，後漢應可走向建設。奈何隱帝日漸驕縱，朝中幾個大臣又彼此不和。由於契丹又在蠢動，朝廷派郭威守邊，朝中原不和的將相，更加尖銳的對立。

關於朝廷之中將相不和，還有一段故事：

有一回，王章擺酒宴客，衆人喝得醉醺醺，開始划拳行酒令。其中史弘肇不太會行酒令，坐在他身旁的閻晉柳就在解說。

此時，蘇逢吉開了個玩笑：『你身旁坐了一個姓閻的，還用得著擔心被罰酒嗎？』

剛好，史弘肇的妻子也姓閻，她本來是酒家娼妓。史弘肇便認爲蘇逢吉是存心出他的醜，諷刺他妻子出身微賤，擅長行酒令。一急之下，口不擇言，大罵蘇逢吉。

蘇逢吉不答腔，史弘肇更氣急敗壞，拿著劍就要砍。樞密使楊邠急得眼淚都掉下來了：『蘇公宰相，豈可殺之。』

從此，將相更水火不容。楊邠、史弘肇又太過跋扈，每次都在朝廷上，教訓隱帝：『陛下不必多言，有臣等在，即可耳。』隱帝漸漸不耐，有意除去這些權臣。

閱讀心得

【第365篇】

張全義其人其事。

唐朝滅亡後，梁、唐、晉、漢、周相繼建立，通稱爲五代。五個朝代加起來，卻只有五十年。爲什麼唐朝有二八九年，五個朝代卻抵不上唐代的五分之一。這其中的原因有很多，主要是因爲五代的人沒有國家民族觀念，不但一般平民如此，居於社會領導的高階層知識份子也多半無恥。譬如今天我們要介紹的張全義。

張全義，字國維，父親、祖父都是農民，家境清苦，時常爲縣令欺負。

張全義一火之下，投効黃巢。

上帝要毀滅一個人，先要使他瘋狂。張全義看出黃巢必敗，改爲歸降於澤州刺史諸葛爽。

諸葛爽平日以會觀人自負，他看張全義生得方頭大耳，頗有福相，對人說：『此人他日名位在我之上。』對張全義極爲愛護。

後來，諸葛爽去世了，張全義日漸發達。他爲了感激諸葛爽的恩德，特別畫了一幅諸葛爽的像掛在房間中，早晚焚香供拜，同時繼續追隨諸葛爽的兒子諸葛仲方。

諸葛爽的部將李罕之起了異心，要求與張全義合謀，張全義滿口答應，把諸葛仲方趕走，佔有其地。但是，諸葛爽的畫像依舊高懸私第中，也早

晚兩炷香供拜，表示自己不忘本，這眞是天曉得。

趕走了諸葛仲方，李罕之自己領有河陽，以張全義爲河南尹。他二人狼狽爲奸，相得甚歡。李罕之這人貪暴不法，每次軍中缺了糧食，立刻來找張全義索取。

李罕之很看不起張全義，常常當衆宣佈：『一個田舍翁，有什麼好怕的。』因此盡量欺負他，不是要軍食，就是要縑帛。

張全義左右賓客都認爲不必給，張全義總是嘆一口氣說：『李太傅所要，不得不奉之。』好像十分懦弱，其實他是老謀深算，故意裝傻，趁著李罕之沒有設防，偷偷夜襲，李罕之連夜逃到河東。李罕之求救於李克用，李克用馬上揮兵攻擊張全義，張全義那兒是鴉軍的對手？嚇得馬上向與李克用有不共戴天之仇的朱全忠求援（朱全忠曾用計想毒害李克用，因此二人誓不兩立）。

朱全忠把這場戰役視之爲與李克用決鬥，卯足全力把李克用的兵擊退。

從此，張全義依附朱全忠。當朱全忠初到洛陽之時，滿目瘡痍，張全義勤儉治民，撫輯流亡，辛苦經營。數年間，洛陽人口又恢復到五六萬人。據說，他走在田地裏，看到新麥新繭，忍不住高興的笑了起來。人民看見，竊竊私語：『大王看到美麗的聲妓不笑，看到好蠶好麥笑得這麼高興。』在秋收季節，見到田中沒有雜草，必定下馬慰勞主人，賜與衣物；若是發現禾中有草，地耕不熟，也當場把農主找來訓上一頓。

張全義雖然挺會辦事，爲人卻無恥已極。當朱全忠篡唐之後，以張全義爲河陽節度使封魏王，開平二年拜太保，四年拜太傅。張全義對朱全忠的言聽計從，巴結拍馬到了極點。

朱全忠性好漁色，驕橫淫暴。有一回，他的車駕前往張全義別墅之中避暑，朱全忠竟然把張全義的妻女一個一個強姦。

張全義的兒子張繼祚氣得全身發抖，不勝羞恥憤慨，拿著刀就往朱全忠的房子殺去。

豈料張全義一把奪過兒子手中的刀，正色地教訓兒子：『想以前我在河陽，遭李罕之之難，被太原軍圍困經年，吃木屑以度日，死在頃刻之間。蒙他救援，此恩不可負也，此恩不可負也。』

好一個此恩不可負，中國人一向認爲戴綠帽爲最可恥之事，一個人不能保妻子安全爲最無用之男人。難得張全義如此看得開，眞正是大丈夫能屈能伸?!

朱全忠梁太祖晚年，猜忌羣臣宿將，被害死者不計其數。只有張全義身卑屈事，安享富貴。

當然，張全義也不曾眞正効忠梁朝。當李存勗報父親李克用之仇，大發神威，滅亡梁朝，張全義立刻夾著尾巴，從洛陽趕赴汴京，迎接李存勗，叩首待罪，而且上表爲自己脫罪——『屢爲朱梁（指朱全忠建立的梁朝）窺圖，逼入虎口，非我素志……。』

後唐莊宗李存勗見他一片恭誠模樣，十分歡喜。不但親加撫慰，而且派人扶著他老人家上殿，宴賜盡歡，又命皇子繼岌、皇弟存紀用兄長之禮待張全義。

李存勗的劉皇后爲了討皇帝歡喜，跟著莊宗到張全義的私第拜訪，並且說：『妾孩童時代遇大亂，父母雙亡，欲拜全義爲義父。』張全義立刻下跪叩首道：『皇后爲萬國母儀，古今未有此事，臣無地自處。』

莊宗也在一旁不斷讚好，逼之再三，最後張全義終於接受劉皇后一拜，成爲皇后的義父，這更加了不得。張全義在後唐明宗時病死洛陽，享年七十五歲，謚曰『忠肅』。

張全義這麼一個無恥之人，不僅在朝堂上享有盛名，而且爲一般百姓愛戴。這一方面也許是五代多惡官，他還能為百姓做一點小事，史書即讚美不已。不過張全義這種小人竟享有美名，亦可見五代風氣之一斑了。

閱讀心得

【第366篇】

長樂老馮道。

中國古代最敬重讀書人，所謂士農工商是也，因為士即知識份子，領導社會風氣，具有歷史責任感。五代時，道德風氣普遍低落與士大夫無恥有關係。上篇所介紹的張全義是如此，馮道更是五代典型的代表。

馮道，字可道，瀛州人，家中世代耕讀為生。他自幼好學，會寫文章，以不恥惡衣惡食為名。

在唐朝末年，馮道投効幽州節度使劉守光為參軍。後來，劉守光敗死，由太原監軍一個宦臣推薦給後唐莊宗爲記室（秘書）。莊宗很賞識他，派他擔任戶部侍郎、翰林學士等高官。

後唐明宗李嗣源打敗莊宗，一入洛陽，頭一件事就是打聽『先帝時馮道郎中何在？我知道他是一個好宰相。』立即找了他擔任端明殿學士，馮道也馬上就任新官，把唐莊宗丟到腦後去了。

馮道爲人刻苦自勵。有一度因父親過世，丁憂歸鄉，親自耕田打柴，與農夫處在一塊，安然自得，唐明宗爲此對他誇獎不已。

事實上，馮道的涵養是一等一，怎樣也不會發脾氣。曾經有位軍吏，性情粗獷，站在衙門前辱罵馮道，罵得相當難聽。左右人數次稟報馮道，請示該如何處置這位軍吏，馮道笑笑說：『這個人必定是醉了。』

然後派人把軍吏請入，大吃大喝一頓，又客客氣氣把他送走。軍吏開心得不得了，當然也不再罵馮道了。

唐明宗去世之後，閔帝即位，明宗的養子李從珂不服起而叛變。馮道立刻準備率百官迎接新皇帝，催促盧導起草勸進文書，盧導不肯：『天子還在，爲人臣者豈可如此？』

馮道不以爲然，道：『事當務實。』所謂務實，就是他眼光準，看準閔帝不成了。果然李從珂打贏這場仗，是爲後唐廢帝。(後唐這段故事，前面說得很清楚，請互相參照。)

後唐廢帝似乎比較不欣賞馮道，只派他掌祭祀的職事。馮道也不在乎，只要職位高，甚麼事都可以做。

後唐滅亡，石敬瑭急著向契丹獻媚，他要馮道出使向契丹行禮，表示對父皇帝的恭敬。

石敬瑭對馮道說：『此行非卿不可。』他頗爲擔心馮道會拒絕這個屈辱的差事。

不料馮道面上毫無難色，滿口答應：『陛下受北朝恩，臣受陛下恩，有何不可？』

馮道愉快地前往契丹，耶律德光久聞馮道大名。當馮道到達西樓，他準備親自前往迎接，臣子們都說：『天子無迎宰相之禮。』耶律德光才打消這個念頭。

馮道風風光光自契丹歸來，從此，朝政多半由馮道掌理。晉高祖曾問他軍事大計，馮道沉沉穩穩地回答：『陛下創建大業，神武睿略，爲天下所知。臣本自書生，惟知守歷代成規而已，臣在（唐）明宗朝，明宗亦曾以戎事問臣，臣亦以斯言回答。』

晉高祖聽著很滿意，也不想一想，明宗用了馮道，國家滅亡了，你還要重蹈覆轍嗎？不過馮道這段話，正是他明哲保身的哲學，也是一道避禍的護身符。

晉高祖臨終時，把幼子石重睿塞入馮道的懷中託孤。高祖去世之後，主戰派景延廣等要立齊王石重貴（即高祖姪兒，被契丹耶律德光呼爲大眼兒的。）是爲出帝，馮道也默默不作聲，反正他還是高居首相。

過了沒多久，契丹耶律德光打中原，馮道又趕快去向新皇帝叩頭。耶律德光責問他：『你是那種老子？』意思是說，你這個老東西算什麼？

馮道回答：『無才無德，癡頑老子。』耶律德光聽了哈哈大笑，認爲馮道能消遣自己，有幽默感，十分有趣，立刻封他爲太傅。

耶律德光問道：『天下百姓如何可救？』

馮道答：『此時百姓，佛再出也救不得，唯皇帝救得。』

雖然馮道一言，使契丹暫時少殺一些人，但是馮道終究未能阻止耶律德光打草穀，他也不會爲此與耶律德光傷和氣的。

當耶律德光一走，馮道馬上再向新皇帝後漢劉知遠下拜，劉知遠見他年老，任命他爲太師。

後周太祖郭威滅漢，還是用馮道爲太師中書令。只有到了周世宗，這一位雄才大略的君主，不欣賞馮道的官僚作風。關於這一段，我們下回再詳細敘說。

最後，馮道在後周世宗朝去世，享年七十三歲。

馮道死的時候，當時的人都很推崇他，甚且說『與孔子同壽』（孔子也是七十三歲而卒，這眞是侮辱孔老夫子）。

馮道本人對自己侍奉五朝十一主，十分得意。他寫了一篇長樂老自敘云：『孝於家，忠於國，口無不道之言，門無不義之貨。爲子爲弟，爲人臣，爲師長，爲父爲母，有子有孫，時開一卷，時飲一杯……老而自樂。』自命爲長樂老。

正因爲這種長樂老，當時人不以爲恥。一般人皆重現實，沒有道德觀念，沒有忠君愛國思想，五代只傳了短短的五十年，卻換了五個朝代，十三個君主。

閱讀心得

【第367篇】

後周世宗的雄心壯志。

在前面〈郭威的發跡〉篇中，我們說到後漢高祖去世之後，其子隱帝即位。高祖心腹郭威平定李守貞之亂，隱帝在亂平之後，日漸驕傲。當時執政大臣楊邠、史弘肇等頗為跋扈……。

隱帝對楊、史專權，日漸不能忍受。有一天，趁著他倆入朝，手無寸鐵，把他二人都殺了。殺了之後，隱帝擔心郭威也同為老臣，可能心中不安。一方面派人解決郭威，一方面迅雷不及掩耳的把郭威家人殺得一乾二淨，連嬰兒也不留。

這時，郭威正在鄴都留守，接到消息，心情沉痛萬分。他把手下的將領召集：『我與楊、史諸公披荊斬棘，從先帝取天下，受託孤之任。今諸公已死，我何忍心獨生？你們當奉行天子密詔，取下我的首級回報天子。』

郭威一向待屬下寬厚，部下個個都非常感動，紅著眼睛勸郭威道：『天子幼沖，此必左右羣小所爲，若使此輩得志，國家還能太平嗎？我等願隨公入朝自訴，蕩滌鼠輩，以清朝廷。』

郭威想想，徒死無益，遂舉兵南下。李太后建議飛詔諭郭威，隱帝不肯聽，非要打一仗不可，而隱帝朝中許多文武大臣，暗中都投降郭威。隱帝潰不成軍，左右都先後逃潰。最後，隱帝一個人騎著馬，單騎落荒，被

亂兵所殺。

郭威聽說隱帝遇害，非常難過，痛哭失聲：『老夫之罪。』然後，他入宮覲見太后，請早立隱帝子劉勳爲嗣君。太后說：『沒有辦法，勳久病，不能起床。』太后又命人把劉勳連人帶床整個搬起，讓大家看見確實是癱瘓了。於是，郭威率百官上表，立隱帝姪兒劉贇爲帝。

正在這個當兒，契丹大舉入寇，太后連忙命令郭威帶兵抵抗。郭威軍隊離開汴梁不遠，就發生了問題，數千名將士大譟，又吵又鬧，一塊湧入郭威的營帳之中，不約而同的說：『我們與劉家已結下血海深仇，不能立劉家子孫爲帝，還是侍中你來當天子吧！』

接著，不容分說，大夥把黃旗扯下，披蓋在郭威身上。如此，皇袍加身，郭威就當了皇帝，是爲後周太祖。郭威算是一個有良心的人，上表太后，願奉之爲母，後漢滅亡，享國只有短短四年。

在五代的皇帝之中，周太祖算是比較好的皇帝，他免除一些苛捐雜稅，放寬刑罰。尤其唐莊宗之後，動輒滅族的殘忍刑罰也予以廢止，使百姓稍稍喘一口氣。

周太祖對大臣們說：『朕起於寒微，備嘗艱苦，遭時喪亂，做夢也沒料到當皇帝，那兒敢厚自奉養以害百姓？』於是下令四方停止貢獻珍美食物。

他又下了一道詔令：『朕生長軍旅之中，不親學問，未知治天下之道。

文武百官有益國利民之術，可以寫來告訴我，文字請切實，不必用華麗的辭藻。』

周太祖也的確盡力做到虛心納諫，維持節儉的生活，他死前甚且遺言：『陵墓務求儉素，陵寢不須用石柱，以磚代替，用瓦棺紙衣即可！』

周太祖去世之後，由其養子柴榮即位，是爲後周世宗，乃五代史中最爲英明的君主。

柴榮乃太祖妻的姪子，父親早逝，出身貧賤。他曾賣過雨傘和茶葉，東奔西闖，後來依靠姑丈，成爲郭家的管家。

他出身民間，深知小民之苦，即位之後，首先整飭綱紀。當世宗發現左羽林大將軍孟漢卿擅自多收稅，立刻命令他自殺。有人說刑太重，世宗說：『我知道，不過要用他爲例，懲戒百官，不許擾民。』

世宗對宦官也不姑息。他修永福殿時，發現有工役用木片當飯匙，用瓦盛飯，如此浪費工料，世宗大怒，立斬管理工程的宦官孫延希。等到官員們都知法守法，他稍稍放寬了刑罰。

世宗初即位，北漢劉崇勾結遼國（契丹），大舉入寇。世宗決定親自率兵討伐，老官僚馮道急急勸阻。

『劉崇看輕我年少新立（三十四歲），想吞併天下，我不可不自往。』

世宗意志頗堅決，馮道又講了許多不能去的理由。

世宗反駁道：『以前唐太宗創業，沒有不親征的，我怕什麼？』

『陛下未可便學太宗。』一向狡猾的馮道竟然頂撞世宗。世宗頗爲不悅，丟下一句『劉崇烏合之眾，我兵力強大，破劉崇如山壓卵。』掉頭而去。

世宗果然能幹，他把北漢打得只能招架，不能還手，讓朝臣大大信服。回到開封之後，他努力整頓軍紀。五代時期的中央軍（禁軍）素質差、紀律壞，又常常發動政變，用來威脅或推翻皇帝，周世宗大力整頓，把中央軍帶來一番新氣象。

另外，他又改革科舉，整理賦稅，疏通運河，並且改革佛教。當時佛教有許多惡俗如捨身、斷手足、煉指、帶鉗表示對佛之奉獻，世宗一概禁止。

周世宗自稱希望做三十年皇帝，十年開拓天下，十年休養百姓，十年致天下太平。他一心伐遼，想取回石敬瑭割讓給遼人的燕雲十六州。當時遼王耶律述律終日飲酒，喝完便睡，人稱睡王。世宗兵不血刃收復瓦橋、益津、草橋三關，可惜突發重病，以三十九歲英年早逝。七歲之子宗訓倉促即位，殿前都點檢趙匡胤叛變，周朝滅亡。五代結束，宋朝開始，中國歷史又走向一個新的階段。

閱讀心得

【第368篇】

趙匡胤黃袍加身。

在本書前面〈後周世宗的雄心壯志〉篇中，我們說到，周世宗一馬當先，收復了瀛、莫、益三州，正準備進攻幽州（北平），收回石敬瑭割讓的燕雲十六州時，他忽然身體極爲不舒服。

周世宗是一個堅強的英雄，在這個緊要關口，偏偏渾身不對勁，他本想撐熬過去，可是病來如山倒，逼不得已，班師回朝。

回到京師之後，世宗病倒在床，情況一天比一天嚴重，他只有三十九歲，正值英年，而且素來身強體壯，應該不會如此。但是，世宗自知大限將至，他在床上，憂愁極了，想想自己的兒子柴宗訓不過只有七歲，怎麼能把國家交給他呢？

尤其叫世宗不放心的是殿前都點檢張永德，他既是禁軍首領，又是後周太祖的女婿，屢次在陣前立下大功，而五代的後唐明宗李嗣源，後唐廢帝李從珂，乃至本朝太祖郭威都是由部下擁立，推翻前皇，焉知張永德不會欺負七歲的柴宗訓。

恰巧，周世宗這一回出征契丹，竟在半途中撿到一塊三尺長、五寸寬的木牌，上面寫著『點檢做天子』，世宗看了，一陣噁心，立刻把木牌扔棄，如今想來，一股寒意自背脊往上竄。

於是，臨危的周世宗趁著還有最後一口氣在，下了一道命令，即日起撤銷張永德的一切兵權，改派最可靠的趙匡胤爲殿前都點檢。

趙匡胤是涿郡（河北省涿縣）人，父親趙宏殷，在五代後晉時，官飛捷指揮使，後來到了後周，又擔任檢校司徒、岳州防禦使，官位不小，官運卻不亨通。

趙宏殷本人是個武將，他的兒子趙匡胤也從小喜歡耍刀弄槍；據說，他在小時候，就表現出過人的領袖才能，帶領小朋友玩騎馬打仗的遊戲，大家都聽他的。打完仗後，趙匡胤還把大家編成隊伍，一個一個送回家。

趙匡胤到了能騎眞馬的年齡時，和旁人不一樣，歡喜騎劣馬。有一天，他跨上一匹頑劣不堪的野馬，兩足一蹬，馬兒飛也似的猛衝上前，趙匡胤抓緊了馬鬃，任憑馬兒狂奔。突然，馬兒跑到了城樓斜道，他來不及彎下腰，被城門撞倒滾下馬來。

旁觀的人都準備收屍了。不料，趙匡胤爬起來，飛奔急跑，趕上了馬兒，一躍上身，又飛上馬背，這身功夫漂亮極了。

然而，這位容貌雄偉、器度萬千的年輕人東奔西走，卻找不到適合發展的機會，也沒有賞識他的伯樂。有一回，窮途末路走過襄陽，在廟裡遇見一位老和尚，老和尚見趙匡胤這般潦倒，不但沒有收他的香火錢，反而給了他一筆路費，對他說：『小伙子，你往北邊碰碰運氣吧。』

於是，趙匡胤前往北邊，投靠在郭威麾下，此時，後漢朝中將相不和，隱帝殺了史弘肇、楊邠等大臣，連對朝中最有功勞的郭威也不放過。

郭威的部下都說：『天子年幼，爲小人包圍，希望你入朝以清君側。』郭威入朝，隱帝爲亂兵所殺，結果，當郭威奉太后命討伐契丹時，走到半路，將士們不由分說，把黃旗撕裂，蓋在郭威身上，郭威就當了皇帝，是爲後周太祖。

趙匡胤因爲參與這一幕，很得太祖歡心，以後，太祖去世，柴榮即位，是爲周世宗，對他更加寵信，特別是在高平之役中，北漢主劉崇勾結遼國，大舉入寇，當時情況十分危急，連周世宗都陷入重圍，趙匡胤衝入陣中，漢軍大潰，他又乘勝攻河東城，左臂中了流矢，還是不挫其勇，世宗看在眼中，萬分欣賞，歸來之後，立刻提擢他爲殿前都虞候，領嚴州刺史。之後，趙匡胤又屢次跟隨世宗出征，連戰連捷，官爵扶搖直上。世宗對他深信不疑，因此才換下了張永德，改派趙匡胤為殿前都點檢。世宗去世後，恭帝柴宗訓七歲即位，還是個小朋友，國事當然抓在老臣手裡，正在此時，鎮州、定州傳來消息，說是契丹入侵，朝廷便慌慌張張派遣趙匡胤出征。

出師的前夕，京城裡大街小巷都在散佈流言：『策點檢為天子』，也就是要改朝換代啦。

根據宋史的記載，當趙匡胤率大軍到陳橋驛，安營下寨，他多喝了幾杯老酒，昏昏沉沉地睡去，到了黎明時分，麾下的幾位部將前來叩寢室的門。

趙匡胤開了門，將士們擐甲執兵，一字排開站在庭院中，對著在伸懶腰的趙匡胤道：『諸將無主，願册太尉爲天子。』然後，不由分說，把黃袍往趙匡胤身上一披，諸將們跪在地上呼萬歲，又扶著趙匡胤上馬。

趙匡胤騎在馬背上，對諸將說：『我有號令，你們能聽從嗎？』一個一個將領都跳下馬來道：『唯命是從。』

『第一，不得驚犯周太后；第二，不得侵凌周朝的公卿；第三，不得掠奪朝廷的府庫；第四，不得搶劫人民。』趙匡胤一口氣說了四個條件，諸將們齊聲呼『諾』，於是一行人前往京城。

趙匡胤對宰相王質說：『我身受世宗厚恩，但爲將士所迫，違負天地，今至於此。』王質難過的走下殿來，握緊王溥的手說：『倉卒遣將，吾輩之罪也。』他的手指甲掐入王溥的肉中，滲出一滴滴的鮮血。

趙匡胤即位，是爲宋太祖。陳橋兵變乃千古疑案也，因爲不是說契丹入侵，趙匡胤才出征嗎？怎麼後來契丹沒有下文？還有，當年擁立郭威爲天子，僅是把黃旗撕裂暫且披一披，趙匡胤怎麼事先定做好的黃袍？按黃袍是皇帝才有資格穿的，大臣最多只能穿朱色紫色的袍衣，因此史家懷疑陳橋兵變乃預謀也，是一樁預謀的事變。

閱讀心得

【第369篇】宋太祖征南唐。

宋太祖當了皇帝之後，他首先把周朝不服的將領鎮壓下去，鞏固內部，然後進行全國統一的工作。五代時期有十國分立，宋朝建立之後，全國依舊有荊南、後蜀、南漢、南唐、吳越、北漢等國分裂割據。現在要講的是平南唐的經過，南唐君主乃大家都耳熟能詳的李後主。

南唐是五代初期奪取吳國建立的政權，山明水秀，物產富饒，周世宗時代，大舉出征，南唐盡失淮南之地。到了宋朝建立之後，南唐主李璟立刻以絹二萬匹、銀萬兩，祝賀宋太祖登帝位。

以後，李璟更是一年四季不斷入貢土產珍異，金銀器用，絲帛茶葉，以討太祖的歡喜。

當宋太祖平定揚州時，宋朝水師日夜在建康（南京）附近演習，李璟擔心京城建康不安全，遷都豫章，留太子李煜守建康，李璟因病在豫章去世，李煜即位。

李煜正是中國歷史上的帝王之中，最最具有文采的皇帝，他的詞光芒萬丈，照耀古今，然而他卻也是一位不負責任又差勁的君主。

李後主，名煜，字重光，本名從嘉，從小聰明伶俐，工書畫、知音律。他即位之初，立刻仿效老皇，向宋朝進貢大批的金器、銀器、紗羅繒綵，

並且寫了一篇十分卑屈的表上給宋太祖。

以後，宋朝凡是出師告捷，或者有任何大大小小的喜事，李後主逮著名目，馬上遣使祝賀，獻上厚禮，舉凡金銀綢緞、古玩珍品，只要江南有名的好東西，李後主都精心挑選，孝敬太祖。

開寶四年，宋太祖滅南漢，當宋朝攻打南漢時，李後主曾經寫信給南漢王，勸他向宋稱臣。如今南漢已滅，他忐忑不安，上表太祖，自動要求把唐國主改爲江南國主，唐國印改爲江南國印，改中書門下省爲左右內史府，翰林爲文館，降封諸王爲國公，總之，李後主用自貶身價的方式，希望宋太祖能放他一馬。

南唐的南都留守林仁肇是一位猛將，他知道南唐與宋朝之間終究不免一戰，建議李後主，趁著宋朝剛滅嶺南，元氣未復，先發制人。李後主哪兒敢呢？

宋朝也知道有林仁肇這麼一個大將，想了一條妙計對付：宋朝偷偷派了一個人去畫林仁肇，畫好之後，把這幅像懸在別室之中，然後，太祖故意指著畫像，問江南來的使者：『這是什麼人啊？』

『南都留守林仁肇也。』使者恭恭敬敬地回答。

宋太祖說：『他如果來降，我就用這幅畫爲信物。』

然後，宋太祖又指著一所空大的房舍說：『這也是要賜給林仁肇的。』

使者回去之後，一五一十稟告李後主，李後主也不多加考慮，立刻把林仁肇毒死了，等於是自斷胳臂。

開寶七年，宋太祖下詔要李後主入京，後主前兩年派弟弟李從善入朝，被太祖扣了下來，一直不肯放人，後主哪有膽量自己去闖？只托病不入朝。太祖就用這個爲理由，積極準備南侵。

李後主手足無措，最後想到一個辦法，派遣學士徐鉉入宋朝，希望徐鉉能用三寸不爛之舌，說服宋朝打消這個南征的念頭。

宋朝的大臣們，警告宋太祖：『徐鉉博學有辯才，陛下應該先有準備才是。』

太祖微微一笑：『你們去吧，這件事不是你們所能知道的。』

一會兒工夫，徐鉉入朝晉見，他一入殿堂，仰首大笑，先聲奪人：『李煜無罪，陛下師出無名。』

宋太祖召他上殿，徐鉉一口氣說了半天滔滔不停，大意是說：『李煜侍奉陛下，有如兒子侍奉父親，他沒有做錯任何事，你爲何要去討伐？』『父子可以不同姓嗎？』宋太祖淡淡地回了一句，徐鉉回答不出，只得垂頭喪氣返回江南。

過了一個月，徐鉉又受後主之託，再次前來說情，徐鉉低聲下氣的說：『李煜因爲生病，不能前來朝謁，絕對不是有意拒詔，乞求陛下緩兵，以保全邦國之命。』如此反覆再三，說了又說。

宋太祖搭著眼皮，愛理不理，徐鉉也動氣了，聲調不自覺地提高，太祖最後動了肝火，他按著劍說：『不需要你再多言，你說的沒有錯，江南沒有罪，但是天下一家，我皇帝臥榻之側，豈容他人酣睡？』

說的也是，天下一家，宋朝皇帝姓趙，怎可留一個姓李的在稱王？

閱讀心得

【第370篇】

小樓昨夜又東風。

南唐李後主對宋太祖俯首稱臣，卑躬屈膝，然而，宋太祖仍然不放棄統一全國之心願。

此時，樊若水建議宋太祖，在長江建浮橋運軍隊，宋太祖接受了。於是，按照樊若水的圖表，不過三天的工夫，已把浮橋搭建完成，可見中國古代科技頗爲發達，宋朝的大軍，紛紛自這座大橋渡到江南。

李後主聽說宋兵在長江搭造浮橋，順口問臣子張洎，張洎搖搖腦袋，不屑地說：『自古以來，也沒聽說長江可以造浮橋之事。』

『我也認爲這是兒戲。』李後主放心的下了結論。

直到開寶八年，宋兵都到了城下，李後主還茫然不知，前方告急的軍書，也到不了他手上，後主仍舊過著風花雪月的日子。

有一天，他登上城樓賞玩風景，忽然看見宋朝大軍列棚於外，旌旗徧野，嚇得慌了手脚，這才知道被左右矇騙，把近臣殺了，派兵去切斷浮橋，卻爲時晚矣，京城不久就被宋朝軍隊所破。

當初，宋太祖派曹彬南征時，曾經告誡他：『江南之事，完全委任於你，切勿暴掠生民，俾自歸順，不必急攻。』『城陷之日，勿濫殺無辜。』因此，在這宋兵將要入城之際，怎麼樣使士兵不亂殺亂搶，眞是傷透

春花秋月何時了往事
知多少小樓昨
故國不
雕欄玉
問君能
恰是一江春水向東

腦筋，於是，曹彬只得裝病了，不問兵事，將領們都很著急，不約而同前來請安，曹彬躺在床上，嘆了一口氣，對著將領們說：『我這個病不是藥石可以醫治的，假如各位願意發誓，破城日不妄殺一人，那麼，我這個病才醫得好。』

原來曹彬是不放心此事，諸將們各自點了一枝香，向上天發誓，保證不傷百姓，曹彬立刻自床上坐了起來。由於諸將焚香盟誓在先，倒也個個遵守諾言，曹彬率軍入城，軍律十分整齊。

李後主已聽說了這個消息，脫去上衣，與文武百官跪在軍門，奉表納降。曹彬倒是頗為客氣，欠欠身道：『介冑在身，不能回拜。』

開始時，李後主準備了大批木柴堆在宮中，準備焚火自盡，曹彬安慰他說：『你歸順宋朝之後，俸祿有限，恐怕不夠你花費，你能帶就多帶一點兒走吧。』

眼看著曹彬打發李後主回去多裝珠寶，梁迥等將領十分擔心埋怨：『萬一他回宮後反悔，後果誰來負責？』

曹彬只是笑笑。

梁迥又說：『你難道不知道他連木柴都堆好了，只等放火自盡。』

曹彬這才開了口：『李煜素來優柔寡斷，他既然已經投降，必不可能再自殺，你們用不著擔心。』

果然，李後主還是出來了。

此時，正是十一月，天寒地凍，李後主在濛濛細雨之中，帶著心愛的小周后，在宋軍的『保護』下，傷心地離開故國，前往宋朝。

第二年正月，李後主到達宋朝國都汴梁，宋太祖在明德樓中接見他，封他為違命侯，表示他違抗朝廷的命令。

從此，李後主開始了他被軟禁的生活，據他自己形容：『此中日夕，只以眼淚洗面。』

有一回，宋太祖宴請大臣，也給他排了位置，李後主儘管滿心不想去，身為俘虜，又哪兒能拒絕。

在席上，宋太祖有意消遣他：『聽說你好作詩詞，唸一聯你最得意的，給大家聽一聽。』

李後主沉思半天，方才緩緩地說：『揖讓月在手，動搖風滿懷。』這兩句實在很美，宋太祖偏要出他醜：『滿懷的風到底有多少？』這該如何回答？李後主默默不語。

『好一個翰林學士！』宋太祖嘲諷地冷笑著。

第二年，宋太祖去世，宋太宗即位，削去他違命侯的封號，改封他爲隴西郡公，月俸很薄，李後主只有厚著臉皮請求增加，太宗不准。

有一天，宋太宗在崇文院觀書，把李後主也找了去，乜著眼睛對後主說：『聽說你在江南好讀書，這些都是你在江南的舊物，你歸朝之後，還有沒有再讀書啊？』

李後主在此時此地目睹舊物，難過得快要哭出來了，也只有低下頭，強忍住淚水。

太平興國三年，太宗有一天問徐鉉：『你有沒有見過李煜？』（徐鉉的故事見上篇）

『沒有啊，我哪敢私見？』

於是，太宗命徐鉉去見李後主，君臣相見，抱頭痛哭。太宗聽說，十分厭惡，恰巧那天是七夕，後主的生日，後主命歌伎作樂，也讓太宗惱怒，再加上太宗看到後主的新詞：『春花秋月何時了，往事知多少？小樓昨夜又東風，故國不堪回首月明中。雕欄玉砌應猶在，只是朱顏改，問君能有幾多愁，恰似一江春水向東流。』

太宗見後主不忘故國，賜他牽機藥，牽機藥乃一種毒藥，吃後手足抽筋，頭足相就，捲成一團痛苦而死，死時不過四十二歲，眞慘！

要一個藝術家談憂患意識，好像很殺風景，苟且偷安不顧現實，就不免要步李後主的後塵。介紹他的政治生涯後，對他的文學生命才能有更深一層的體會，下篇我們再談李後主的其人其詞。

閱讀心得

【第371篇】

別是一番滋味在心頭。

做爲一個君主，李後主是徹徹底底的失敗了，然而，他卻是中國歷史上光芒萬丈的不朽詞人。

李後主李煜，字重光，初名從嘉，他天資敏慧，容貌出衆，據說他與舜一般，一隻眼睛中有兩個瞳孔，古人認爲重瞳乃爲帝王之相。

後主的父親李璟，也是一位有名的詞人，而且多才多藝，李後主從小沐浴在文藝氣息濃厚的環境之中，會寫會畫，妙解音律，加上天生心慈情厚，多愁善感，很快地成爲賈寶玉般的翩翩美公子。

十八歲那年，李後主娶了昭惠后，昭惠小名娥皇，人稱大周后，不但人美，既通書史，又善歌舞，尤工琵琶，這一對金童玉女攜手共度無數浪漫時光。

據說，他倆的後宮未嘗點燭，每夜懸一顆大寶珠，光照全宮，後宮佈置得富麗堂皇，揮金如土。李後主在〈一斛珠〉這闋詞中形容大周后唱起歌來是『一曲清歌，暫引櫻桃破。』

『破』這個字，本來頗爲不雅，但是李後主這個破用得多美，一顆細圓嬌艷的櫻桃，開一個小口，描寫大周后歌唱的神情，不但李後主陶醉，後人也爲之神往不已。

花明月黯飛輕霧
今宵好向郎邊去
剗襪步香階
手提金縷鞋
畫堂南畔見
一向偎
奴為出來難
教君恣意憐

但是，李後主是位天性風流的君主，當大周后生病時，他又愛上了大周后的妹妹，人們稱之為小周后。

小周后風姿佳妙，當時只有十五歲，在大周后生病期間，時常偷偷與姊夫幽會，兩人『慢臉笑盈盈，相看無限情』，李後主曾用小周后的口氣，敘述這一段風光：『花明月黯飛輕霧，今宵好向郎邊去，衩襪步香階，手提金縷鞋，畫堂南畔見，一向偎人顫，奴為出來難，教君恣意憐。』

——在這個月色朦朧晨霧彌漫的時候，小周后襪子沒繫好，手上提著金縷鞋，躡手躡腳像小貓一般去幽會，到了畫堂邊，見到後主還不斷心跳，偎在他身旁發抖，出來一趟這麼難，當然後主要多多疼小周后一些了。

大周后八成也知道這件事，因此南唐書中記載，小周后在大周后旁侍奉湯藥，大周后不知道，有一天，忽然發現小周后立在帳前，大吃一驚：『妹妹在這裡！』然後一生氣，立刻反臥，再也不肯把臉轉過來。除了大小周后，李後主後宮佳麗無數，其中他特別寵愛一個叫窅娘的宮女，窅娘身材窈窕，舞姿曼妙，她用布帛把脚纏了起來，與新月一般彎曲有致，然後穿上素色襪子在六尺高的金製蓮花上跳舞，飄飄然有凌波之態，相傳中國婦女纏足，三寸金蓮自此開始。

李後主沉溺於聲色之中，快樂極了，有臣子潘佑上書勸諫，後主頗爲不悅，把潘佑殺了。

過了沒多久，大周后香消玉殞。李後主非常傷心，雖然小周后的繼立，帶給他一些安慰，然而國事日非，李後主儘管曲意巴結宋朝，宋太祖卻以臥榻之側，豈容他人酣睡為理由，非把南唐滅了不可。

最後，曹彬渡江，金陵淪陷，李後主肉袒出降，全家北遷，他在一日之間，由一國之君被降為俘虜，而且被封了一個難聽的——違命侯。

李後主在懺悔無奈之餘，寫下了〈破陣子〉：

四十年來家國，三千里地山河。

鳳閣龍樓連霄漢，玉樹瓊枝作煙蘿。

幾曾識干戈？

——南唐自李昪開國至今已四十年，擁有三千里大好河山，雄偉的樓閣，高聳入雲；茂密的花草，煙聚蘿纏，我在這個無憂無慮的環境之中，幾時曉得戰爭這回事呢？

一旦歸爲臣虜，沉腰潘鬢銷磨。
最是倉皇辭廟日，教坊猶奏別離歌。
垂淚對宮娥！

——一旦做了俘虜，腰也瘦了，髮也白了。最讓我難堪的是當年金陵淪陷，倉皇拜別祖先，宮廷樂隊還在爲我演奏離別歌，對著宮女，我只有暗自垂淚。

從此之後，李後主自天堂墜入了地獄，求生不得求死不能。在早期，李後主的作品，美則美矣，但也不過是青春的享樂，縱情的歡笑與活躍的生命；到了後期，遭受人世間痛苦的折磨、嘲弄、侮辱，對過去充滿了悔恨與懷念，他的每一闋詞都是血，都是淚，不再是無病呻吟，而是深刻又絕望的感情，產生出來的作品，眞可說是永垂不朽。

譬如這首大家所熟悉的〈浪淘沙〉的上半段：

簾外雨潺潺，
春意闌珊；
羅衾不耐五更寒。
夢裡不知身是客，一晌貪歡。

——窗外綿綿細雨，春意將殘，絲綢的被子，擋不住午夜的寒氣，想起剛剛在夢裡，我又回到了江南，享受過去的生活，在美夢裏不知道這只是虛浮的客境，是那麼貪圖歡樂啊！

最後，宋太宗認爲李後主念念不忘故國，賜他牽機藥，讓他痙攣而死，那時正是七月七日的晚上，他不過四十二歲。

王國維說：『詞至後主，眼界始大，感慨遂深。』李後主的詞是中華文化的瑰寶，我們今天讀了都會感動得下淚，正如同他在〈相見歡〉中的『無言獨上西樓，月如鈎，寂寞梧桐深院鎖清秋。剪不斷，理還亂，是離愁，別是一番滋味在心頭。』細細咀嚼，相信大家都別有一番滋味在心頭。

閱讀心得

【第372篇】

花蕊夫人。

花蕊夫人，這是何其美麗的名字，在中國古代，一共有兩位花蕊夫人，一位是前蜀主王建的妃子，亦稱小徐妃，還有一位是我們要介紹的後蜀主孟昶的夫人。

後蜀是十國之一，由龍岡人孟知祥所建立的。孟知祥死後，太子孟仁贊繼位爲皇帝，改名爲孟昶。花蕊夫人本姓費，青州人，貌美善文，孟昶對她十二萬分的寵愛，因此賜名爲花蕊夫人。

孟昶是個糊塗皇帝，而且性好奢侈，連便壺都用七種寶石鑲刻而成，蜀國乃天府之國，孟昶盡情搜括，也放任臣下效法。

當時的宰相張業爲著欺負百姓，竟然在家中自設牢獄，甚且挖人家的祖墳，盜取陪葬的寶物，搜括財物竟然到了地下，地上更是無所不爲了。

宋太祖平定荊南之後，把目標指向後蜀。剛好此時蜀國山南節度判官張廷偉對樞密院事王昭遠說：『你素來沒有勳業，又做到樞密這樣的高官，如果不建立大功，如何能讓天下人心服，塞悠悠之口，還不如與北漢通好，勸他們發兵南下，我們左右夾攻，讓中原（宋）腹背受敵。』

王昭遠認爲這個主意很不錯，派人攜帶蠟丸其中包著書信，送往北漢。誰知道送信的人把蠟書交到宋太祖手上。

冰肌玉骨清無汗 水殿風
簾開明月獨窺人 倚枕釵橫雲
起來庭戶悄無聲 時見疏星渡河漢
屈指西風幾時回 不道流年暗中換

宋太祖一看蠟書，大爲高興：『朕如今師出有名。』

孟昶聽說宋朝出兵，心中有些害怕，他對王昭遠說：『今天這場禍事是你找出來的，你要爲朕立功！』

王昭遠手中拿著鐵如意，大模大樣的指揮軍隊，自比爲諸葛亮，他喝得醉醺醺時，揮動著手臂說：『我這次出征何止是克敵，就是取中原也是易如反掌。』

這位賽諸葛亮話說得挺漂亮，與宋軍一接觸，三戰三敗。孟昶慌了手腳，派兒子孟元喆爲元帥，孟元喆與其父一般是個繡花枕頭，而且愛漂亮到了極點，紅旗的木棍也包上了錦緞，正要出發，下雨了，孟元喆趕快把軍旗收拾起來，免得給淋濕了。而且還帶著姬妾、樂器、伶工一塊出征，看到這光景的人都吃吃暗笑。

打仗又不是上戲台，這種隊伍還沒開到前線，聽說劍門失守，嚇得轉頭就跑。孟昶只有投降，他嘆了一口氣說：『我父子用豐衣美食養了四十年軍隊，一旦遇到敵人，不能爲我向東發一矢，我如果想抵抗到底，又有誰肯効死。』

花蕊夫人就是這位昏君最爲寵愛的佳麗。在宋朝軍隊沒有前來之際，他二人風晨月夕，倒是過了一段恩恩愛愛的日子。

宋朝的大文學家蘇東坡曾經說過，當他七歲的時候，遇到峨嵋山上一位姓朱的老尼姑，老尼姑已有九十高齡，她告訴蘇東坡，自己年輕時隨著師父入過孟昶宮中，有一天非常炎熱，見到孟昶與花蕊夫人在摩訶池上納涼，夫人作了一闋詞：

冰肌玉骨清無汗，水殿風來暗香滿；
簾間明月獨窺人，倚枕釵橫雲鬢亂。
起來庭戶悄無聲，時見疏星渡河漢；
屈指西風幾時回，不道流年暗中換。

這闋詞的意思是——冰做的肌膚，玉做的骨骼，自是一片清涼，沒有汗珠。清風自水閣送來，一陣又一陣的幽香。打開窗簾，可以看見一輪明月照在佳人身上，只見枕頭斜側，金釵歪插在蓬鬆的秀髮之中。

——於是起身到了庭院，四周寂靜無聲，一顆顆的小星星渡過銀河，用手指算算看，西風什麼時候會來到？不知不覺之中，光陰就悄悄在暗中飛逝了。

後來，蘇東坡就利用這闋詞，寫下了膾炙人口的〈洞仙歌〉：『玉肌冰骨，自清涼無汗，水殿風來暗香滿。繡簾開，一點明月窺人，人未寢，欹枕釵橫鬢亂。起來攜素手，庭戶無聲，時見疏星渡河漢。試問夜如何？夜已三更，金波淡，玉繩低轉（玉繩爲星名），但屈指西風幾時來，又不道流年暗中偷換。』

孟昶與花蕊夫人的好景不常，宋太祖南下，攻陷蜀京，孟昶和花蕊夫人被俘北上，花蕊夫人感傷之餘寫下：

『初離蜀道心將碎，此恨綿綿。春日如年，馬上時時聞杜鵑。』

據說，寫到這兒，宋朝大軍頻頻催行，沒有寫完，後人幫她完成後半段：『後宮佳麗如花貌，妾最嬋娟，此去朝天，哪得君王再見憐。』

此處的君王指的自是孟昶，宋太祖早在伐蜀之前，已爲孟昶在汴水之濱準備好住的房子，有五百多間大大小小的屋子，佈置豪華，然而孟昶十分鬱鬱不樂，不久即死。

花蕊夫人不得不再嫁宋太祖，當太祖問她，蜀國何以敗亡，她氣憤地以一首詩回答：

『君王城上豎降旗，妾在深宮哪得知；十四萬人齊解甲，竟無一個是男兒。』

的確，十四萬大軍毫無鬥志，令人生氣，但也是五代的風氣，何況，後蜀敗亡最大責任仍在孟昶。

花蕊夫人因爲思念孟昶，自己畫了他的像，懸在房中，日夜膜拜，惹得太祖相當不悅。據說她曾屢次下毒太祖，太祖憐香惜玉不忍殺害。後來宋太宗在打獵時，一箭射死了這位美人兒，也算是紅顏薄命吧。

【第373篇】杯酒釋兵權。

在中國古代，從夏朝到清朝爲止，一共有三十二個朝代，其中國祚最長者爲周代，有八五六年，最短的是五代時期的後漢，一共只有四年。國祚的長短因素很多，但是凡是國祚比較長的，一定是它的開國君主會爲後代多想一想，對國家一切制度有詳盡規劃，譬如說唐高祖、唐太宗，譬如說我們這回要講的宋太祖。

宋太祖剛剛即位不久，有一天他與宰相趙普談論天下大事，他長嘆了一口氣道：『自唐朝以後，幾十年間，換了八個姓氏的十二個皇帝，你爭我奪，兵爭不息，生靈塗炭，這是爲什麼呢？我想天下一勞永逸，長治久安，你看有什麼好辦法？』

『陛下能想到這個，實天下之福也。』趙普接著說：『唐季以來，戰爭不息，最主要的原因是節度使的權力太大，君弱臣強而已，如果能把節度使的權限減弱，天下自然太平了。』

話還沒說完，宋太祖搖搖手道：『你不必再說，我知道了。』

當時石守信、王審琦這些人都是宋太祖未當皇帝以前的老朋友，都在掌管禁兵。趙普曾經向宋太祖說了好幾次，請求改派他們其他職務，免得對朝廷不利。

宋太祖有些不耐煩地回答：『這些人一定不會背叛我，你擔心什麼？』

趙普又苦口婆心的勸道：『臣不是憂慮他等會叛亂，可是據臣的觀察，他等都沒有統御部下的才能，萬一軍隊作孽，脅迫行事，他們可能會身不由己。』

想當初，宋太祖也是被擁有兵權的大將黃袍加身，輕易地把周朝的政權搶奪過來，因此想一想，實在頗爲擔心人家依樣畫葫蘆。

建隆二年二月，宋太祖邀請石守信、王審琦等人喝老酒，不拘形式的説説笑笑，喝到耳根子都發紅之際，宋太祖把伺候的太監、宮女都撤了下去，然後端起一杯酒，若有所思道：『哎，想當年，若不是卿等擁戴，我怎能當上皇帝？但是當了天子實在太痛苦了，還不如做節度使來得快樂，當皇帝之後，我從來沒有高枕安眠。』

『喔，爲什麼？』衆將一致投以懷疑的眼光。

『何必多此一問？』宋太祖冷冰冰說：『皇帝的寶座，誰不想要？』

這下子把石守信等人嚇慌了，趕緊下位，跪地頓首，酒也驚醒了：『陛下何出此言？今天下已定，誰敢再有異心？』

宋太祖笑笑道：『你們固然如此，但是萬一有一天，你們的部下有欲富貴的將領，把黃袍加在你們身上，你就是不想要造反，到了那時候，還由得著你們嗎？』

石守信、王審琦等人你看我，我看你，個個背脊冒冷汗，急得眼淚都流出來了：『臣等愚昧無知，沒有想到這些，請陛下可憐可憐我們，指示一條生路。』

『生路當然有，』宋太祖頓了一頓又道：『人生如白駒（太陽）過隙，之所以要求富貴，也不過是想多積金錢，使自己一生一世享受不盡，並且給子孫留下富貴產業。你們爲何不釋去兵權，廣置良田美宅，爲子孫立永遠之業。家中多置歌伶舞伎，日夜飲酒相歡以度終年。然後朕與卿等，結成兒女親家，通婚示好，君臣之間，兩無猜疑，上下相安，你們說，這樣，不是挺好的嗎？』

宋太祖的暗示已經這般明顯了，石守信等要是還聽不懂，就只有與韓信等功臣一般，等著被漢高祖殺掉了。

石守信等人等太祖話一講完，趕緊再叩首曰：『陛下對臣等實設想得太周到了，所謂生死而肉骨也。』

到了第二天一大早，石守信等人都各自稱病，乞求解除兵權。宋太祖當然立刻答應了，以石守信爲天平節度使、高懷德爲歸德節度使、王審琦爲忠正節度使……。這些節度使並沒有實權，人在京師，領高薪，過著豪華的生活。

宋太祖杯酒釋兵權，盡力推行中央集權制度之外，若想革除五代君弱臣強之弊，首先需要自心理著手。

在唐朝，君臣之間是相當平等的，大臣見君則列坐殿上，然後討論國家大事，像唐太宗與臣子還頗爲親熱。

宋太祖當了皇帝之後，群臣依舊坐著與皇帝論事，有一天，宰相范質等坐著與宋太祖議論，太祖忽然間說：『我眼睛花了，看不清楚，你把文書拿過來我看看。』

君主有令，范質馬上起立把文書呈給宋太祖過目，宋太祖看完之後，范質想要回座位，卻發現宦官已悄悄把座椅給移走了。范質當然不好意思問：『咦，我的座位呢？』只好站著。從此之後，坐論之禮遂廢。滿朝文武大臣都站著，宋太祖的用意是提高帝王的威儀，我坐著，你站著，你就比我矮上一截，使臣下對帝王由於地位之懸殊產生一種尊敬心理。

宋朝的臣子還好，還算是站著，明朝多半是跪著，當然有時也有賜坐。到了清朝不但是跪，而且趴在地上，有所謂三跪九叩，帝王專制一天甚於一天。

除了收回軍權，由於五代以來，地方武力強大，地方官常憑藉武力來反抗中央，宋太祖設法削弱地方武力，使精銳的軍隊都隸屬中央，地方只有老弱殘兵，同時，各地方收入財賦，除保留一小部分地方需要的經費之外，餘下的都得呈交中央。

杯酒釋兵權，使宋朝的武力收歸皇帝直接掌管，免除藩鎮之禍，使宋代沒有地方割據，但也帶來若干壞處。最大的壞處是地方武力的空虛，一旦遇到外患入侵，地方沒有抵抗的能力。

閱讀心得

【第374篇】宋太祖獎勵氣節。

在〈杯酒釋兵權〉之中，我們說到，由於五代軍隊將帥十分跋扈，常常發動兵變，推翻政府，宋太祖惟恐重蹈覆轍，邀請功臣石守信、高懷德喝酒，勸他們辭去軍職，放棄兵權，皇帝可以賞賜他們大筆財產，養老享福。

石守信等人既然交出了中央禁軍大權，出守外藩，宋太祖還需要有一個專人統率禁兵，乾德元年二月，天雄節度使符彥卿來朝，宋太祖想用他來典兵。

宰相趙普以爲符彥卿名位已盛，不能夠再把兵權交給他，屢次上諫，宋太祖不理。

命令頒下之後，趙普又前來晉見：『希望陛下深思其中利害，不要做了讓自己後悔之事。』

『奇怪了，』宋太祖滿懷狐疑地問：『你爲什麼不相信彥卿，朕待彥卿至厚，彥卿豈能負朕？』

『陛下何以能負周世宗？』趙普一句話頂了過去，宋太祖當場啞口無言，想周世宗待宋太祖恩重如山，他卻欺人孤兒寡婦，奪走江山，誰知彥卿又如何？

於是，符彥卿這件事暫時擱置。

不過，宋太祖也並非那麼沒有度量之人，如果臣下沒有篡國之險，一般而言，他倒是頗體恤下人。

《國老談苑》這本書中記載：宋太祖曾經宴請翰林學士王著，酒席散去之後，王著乘著酒醉，高聲喧嘩，宋太祖念他是前朝（後周）學士，很客氣地請人把他扶出去。

誰知王著不肯走，靠著屏風，捲起衣袖，抽抽答答哭了起來，而且愈哭愈傷心，左右看著不像話，硬把王著拽了出去。

第二天有臣子上奏：『王著逼門大哭，思念周世宗。』滿以為宋太祖難堪之餘，一定會嚴懲王著，豈料宋太祖只淡淡說了一句：『這個人是個酒徒，以前在周世宗幕府之中朕與他很熟，況且他乃一書生，雖哭世宗，又能怎麼辦？』

按酒徒未必不能成大事，漢高祖劉邦就是一個不折不扣的酒徒，主要是因爲王著乃一文人書生，秀才造反，三年不成，怕他什麼。

因此，宋太祖一概用文人爲州刺史，他曾對趙普說：『五代方鎮殘虐，民受其禍，朕今用儒臣幹事者百餘人，分治大藩，縱使文臣貪汙，也不及武臣十分之一爲害。』宋朝一直採用重文輕武政策，政府中重要的職位都由文人擔任，武人受到歧視，這固然使得宋朝沒有武將跋扈，卻也過於文弱，不堪一擊。

宋太祖除了收回中央軍權、財賦，還有意壯大中央軍力，削弱地方的力量。

宋代的中央軍叫禁軍，從全國各地軍隊中挑選身強力壯者組成，據說規定要琵琶腿（大腿胖，小腿瘦，大腿遠遠粗過小腿）及『車軸身』（身材是腰細臂寬）如此才合禁兵標準，他還選了一批琵琶腿、車軸身的『兵樣』送到各地當樣本兒，逐一挑選。

挑剩下的老弱殘兵，留在地方稱爲廂軍，廂軍到後來都成爲泥水匠、挑夫，根本沒法打仗。

此外，宋太祖更積極培養忠君愛國觀念，在中國古代君主政治之下，帝王是政治的中心，王朝的象徵，忠君即忠於朝廷。

五代是自秦朝到清朝之間，國祚最短的朝代，五代的創業帝王不能培養忠君觀念是重要原因之一。五代的人腦中根本沒有忠君觀念，像馮道，歷任四朝，居相位二十多年，自號爲長樂老，這種沒有氣節的老不修，竟然受人讚頌，難怪是短命朝廷。

五代君主不但不重用忠臣，反而喜歡任用貳臣，國焉不亡？宋太祖老早看清楚這一點，當陳橋兵變一發生，宋太祖的部下把黃袍朝他身上一披，正式兵變，宋太祖急急還京之際，副都指揮使韓通不滿宋太祖的作爲，正準備發兵攻擊宋太祖，而爲王彥昇所殺。

宋太祖一即位，馬上追贈韓通爲中書令，而且下令用厚禮葬之，表示獎勵韓通忠於後周。

至於那位王彥昇，則以『擅殺韓通，雖預佐命，終身不與節鉞』，他明明對宋太祖有功，卻以擅自殺掉韓通，讓他一輩子不領節鉞，所謂節鉞，指的是符節與斧鉞，古時任命大將時授之，以重其權。

宋太祖征南唐時，南唐大臣杜著、薛良來奔，宋太祖不但不收留，反而責怪他二人不忠，在下蜀市問斬杜著，薛良則發配到廬州。

另外，宋太祖執獲北漢宰相衛融時，詢問他道：『聽說你教劉鈞（北漢主）反抗大宋？』

『犬吠非其主，臣誠不忍負劉氏。』衛融一點也不隱瞞地回答，他以忠狗自喻，狗兒對著生人總是要叫的不是嗎？

衛融接著把頭一昂：『陛下縱使不殺臣，臣必不爲陛下用！』臉上呈現出傲然不屈的神色，宋太祖發怒了，命左右用鐵擿敲他的腦袋，鮮血如注，衛融大呼：『臣死得其所！』宋太祖立刻喝止：『忠臣也，把他放了。』宋太祖雖然很厭惡衛融，但是覺得他這種忠心的表現，正是宋朝人民應該效法的，所以故意將他釋放。

宋太祖種種作爲都在獎勵名節，其結果造成忠君觀念的流行，宋朝雖然長久積弱不振，但是不斷有忠臣的出現，傳國三百二十年，宋太祖功不可沒，可見得風氣對一個國家的盛衰興亡是如何重要。

閱讀心得

【第375篇】

趙普任相剛毅果斷。

在孟子梁惠王篇之中有一段，梁襄王問孟子：『天下要怎樣才能安定？』孟子說：『不嗜殺人者能一之。』——不喜歡殺人的人才能安定天下。

宋太祖就是一個不嗜殺的君主，當他在趙普家商議定江南之策時曾說：『王全斌平西蜀時多殺人，吾今思之，猶耿耿於懷，不可用也。』於是改用曹彬爲大將，曹彬爲執行宋太祖的命令，還裝了一場病，要求軍士們不可亂殺無辜。

對一個創業帝王而言，除了要收拾人心，更要籠絡社會上具有力量的優秀份子，唐太宗提倡科舉，他看到一個一個新考取的進士連袂進入端門，心中暗喜道：『天下英雄，盡入吾彀中矣。』（彀，牢籠之意。）

宋朝的科舉制度是以唐朝為藍本，宋太祖喜歡自己擔任主考官，他對近臣說：『昔日科名多為有錢有勢人家所取，朕今臨試，盡革其弊也。』皇帝親臨考試，稱之為殿試，殿試及第的進士，那可就是『天子門生』，神氣極了。

在提倡科舉的同時，宋太祖又大興儒學，敬重讀書人，他即位後不久，就在東京修了國子監，准許京官七品以上的子弟入學。國子監兩旁的牆壁

上，繪製了許多先哲先儒的肖像，宋太祖常常一個人背著手，來來回回瞻仰孔子、顏回的遺容。

國子監開講的第一天，宋太祖必定親自賜宴員生，勉勵大家好好讀書，他又對太子趙德芳的老師說：『帝王之子，應多讀經書，使知治亂興亡。』乾德年初，當宋太祖決定『乾德』這個年號之後，有一天在一個宮人身上，找到一面舊鏡子，背面有『乾德五年』四個字，太祖看了大吃一驚，拿去給宰相看，宰相也是一頭霧水。

後來，有位叫竇儀學士對宋太祖說：『這必定是蜀國舊物，以前蜀主王衍有此年號。』宋太祖長嘆一聲道：『宰相須用讀書人。』從此更加敬重儒臣，宰相趙普本以精通吏道，會耍權術著名，宋太祖屢次勸他多讀書，後來趙普也手不釋卷。淳化三年，趙普去世，其家人搜其書篋，則論語二十篇也。這正是所謂『半部論語治天下』的由來。

宋太祖對納諫的唐太宗十分尊敬，但是他又說：『要是能束身自好，使臣下無閒言，豈不更好？』因此，他比唐太宗更加潔身律己。但是，人總是人，難免會做出一些不理智的事情來，尤其是身爲一國之君。

建隆元年某日，宋太祖在後苑挾弓彈鳥，忽然下面報告，有位大臣急事請奏，宋太祖覺得十分掃興，也只有先放下彈弓聽大臣說，結果講了半天，嘮嘮叨叨，都是一些尋常小事，宋太祖不悅道：『這算得上什麼急事？』

『臣以爲總比陛下彈鳥的事急一些。』

一聽此言，宋太祖大怒，拿著斧柄，對準這個臣子的門牙敲過去，『哐，哐』兩聲，掉下兩顆牙齒。

這位臣子不作聲，彎下腰來，小心的把兩顆牙齒撿起來，揣入懷中。

宋太祖說：『你這是幹什麼？準備做爲證物控告我啊！』

『不，不，陛下位居人君，臣往哪兒告去？但有史官在，歷史總會記上這一筆的。』

宋太祖立刻換成一副笑臉，厚賜金帛，可見他雖一時衝動，能即刻醒悟過來。

開寶六年八月中，宋太祖正在大宴群臣，忽然之間，風雲變色，大雨傾盆，下了半天都不停止，宋太祖煩透了，正準備發脾氣，左右都異常驚恐，不知如何是好，又不能下令老天爺停止下雨。

宰相趙普上奏宋太祖：『外間百姓正在祈求下雨，各自歡喜作樂，下一場雨，於大宴何損？不如命令樂官在雨中奏放，普天同慶。』

宋太祖馬上開心起來，結果，這場宴會比平常都成功，此固然是趙普應付得當，也表示宋太祖確實注意民間疾苦。

趙普任相十年，剛毅果斷，以天下事爲己任，他曾經上奏要某人爲某官，宋太祖不肯。

第二天，趙普再奏，宋太祖依舊不肯，到了第三天，趙普又把奏章呈了上去，宋太祖不覺動了肝火，當場把奏摺撕成兩半，摔在地上。

趙普神色自若，徐徐把撕破的奏章拾了起來，回家之後，再仔仔細細補好，第四天，又呈了上去。

宋太祖心裡想，趙普一再碰釘子，還是堅持己見，看來，這人果然不錯，准了趙普所請，後來此人以稱職聞名。

又有一回，某位官吏因功應當升官，宋太祖向來嫌惡某人，不肯讓他升官，趙普一再要求，宋太祖怒曰：『朕不與遷官，將奈何？』趙普不以為然道：『刑罰用以懲惡，獎賞用以酬功，刑賞者天下人之刑賞，怎可因陛下喜怒而定？』

宋太祖氣得不要聽趙普說話，站起來，走了出去。趙普一路跟著，太祖入宮，趙普就站在宮門旁邊，久久不去，兩人僵持了半天，宋太祖最後依了趙普所請奏。

所以說起來，宋太祖是個器度頗大的君主，我們可以再舉一個小例子：太祖建隆二年，太祖在宴會上見到以前對他惡聲惡氣的鳳翔節度使臨清王彥超說：『卿過去在復州，朕前往依靠卿，卿爲何不接納我？』王彥超嚇得連連叩首說：『當時臣不過一刺史耳，勺水豈可容納神龍，而且要是臣納陛下，陛下安有今日？』

面對王彥超的強詞奪理，宋太祖只是哈哈一笑，現在既然有報仇的本領，又何必眦牙必報？

閱讀心得

【第376篇】

宋太祖拜訪趙普。

歷來的史家總愛以秦皇、漢武並稱，唐太宗、宋太祖合譽。然而宋太祖是欺人孤兒寡婦得來的天下，頗受人詬病，感覺上差了一些。無論如何，宋太祖總是一代明君，尤其是他律己甚嚴，相當節儉。

據說，當太祖隨同周世宗征伐淮南之時，有人在世宗面前打小報告，說太祖從壽州偷偷運了好幾車的金銀財寶。周世宗派人打開太祖的車輛檢查，哪有什麼金子，全是一綑一綑的書籍。周世宗問他：『爲將帥者當求堅甲利兵，要書何用？』『因無奇謀贊助陛下，只有從書中增廣見聞。』這是宋太祖的回答，難怪他不但會打仗，而且懂得如何當一個好君主。

乾德四年，宋太祖攻下後蜀以後，發現戰利品中有一個夜壺，竟然用七種罕有的寶石鑲成的，大家看了都嘖嘖稱奇，滿以爲宋太祖一定視之若寶。

豈料宋太祖立刻下了一個命令：『敲碎！』左右都驚愕得說不出話來，又不敢違抗皇上，只好忍痛把溺器打碎。

宋太祖嘆了一口氣道：『孟昶用七寶裝飾一個尿壺，可想而知他用什麼來盛放食物，像這個樣子，國家怎能不亡？』

也許由於宋太祖年少時，曾經度過一段艱苦的歲月，因此格外節儉，連他的御衣皇袍，只有登殿時才用綾錦製成，其餘都是採用普通質料，而且穿了再洗，洗了再穿，後宮之中寢殿的幃簾用青布裁成，宮闈簾幕，也都沒有文采之繡。

宋太祖還常常找出以前的麻縷布裳賜給左右：『這是我過去用過的。』別人也不敢說，賞賜怎麼用舊的。宋太祖的意思是，希望大家能學他的樣，懂得愛惜物品。有一天，太祖的弟弟趙光義在宴會之中，從容地勸他，當皇帝要有一個皇帝樣兒，不可過分寒酸，有失體面。宋太祖兩眼一瞪：『你不記得我們在灰馬營中的日子了嗎？』趙光義挨了訓，只有默默地低下頭。

開寶五年的夏天，永慶公主穿了一件貼繡鋪翠短襦入宮，宋太祖看見了，把女兒叫過來說：『你把這件襖給我，以後再不許穿了。』永慶公主知道父皇節儉，忍不住埋怨道：『這不過用了一點翠羽，花得了多少錢嘛！』

宋太祖見永慶公主嘟著嘴，和顏悅色的勸道：『不然，你是公主，一穿上翠玉短襖，宮闈戚里必然效法，一件襖子要多少翠鳥的毛才能製成，你生長在富貴之家，應當惜福，豈可造此惡業之端？趕快脫下來。』

永慶公主萬般捨不得，卻也只好聽話。歷來做皇帝的，多半寵著兒孫浪費，反正天下都是一人所有，像宋太祖這般注重家教者，倒還少見。

又有一次，宋太祖的皇后說：『官家（皇后對皇帝的稱呼）做天子日久，爲何不用黃金裝飾一下轎子，如此，乘以出入，比較神氣。』

宋太祖笑道：『我以四海之富，別說用金子裝飾轎子，就是宮殿用金銀打造，我的力量也辦得到。但是，念在我爲全國人民保管財產，豈可妄用？古稱一人治天下，不以天下養奉一人。』

宋太祖自己十分節儉，對他人卻十分慷慨，譬如在〈杯酒釋兵權〉篇中我們說過，他勸武臣們：『多積金銀，厚自娛樂，使子孫無貧乏耳。』他爲了要大臣們忠於宋朝，出手相當大方，譬如范質有病，賜金器兩百兩、錢兩百萬，數目都很嚇人。

廉潔自守本來就是一件不易之事，連剛毅果斷的趙普尚且不免，在宋太祖征南唐之中，我們說過南唐李後主日夜擔心宋太祖南征，也就不斷孝敬宋朝上上下下。

開寶四年十一月，李後主拿了五萬兩銀子送給宰相趙普，這數字太大，趙普不敢要，面呈太祖，太祖居然說：『這個不可不接受，你寫封信答謝，再拿點錢給使者。』

過了幾天的一個夜晚，宋太祖外出，忽然到了趙普家，皇帝駕到，非同小可。可是宋太祖來得眞不是時候，吳越王錢俶正打發人送來十瓶禮物擺在長廊，趙普來不及拿個東西遮掩，急急忙忙迎了出來。

宋太祖一走進來，馬上發現長廊下面整整齊齊排了十個瓶子，回首問趙普：『這是什麼？』

『海味，海味，這是吳越送來的海味。』

『海味必佳！』說著，宋太祖打開了一瓶，一看，哪兒是干貝、魷魚之類的海味，全是黃澄澄、亮閃閃的金子。

趙普急得不斷叩頭：『臣實以爲海味。』

宋太祖也沒追究，不過後來趙普貪汙過了分，假公濟私，穢跡昭彰，太祖忍痛罷其相位。

宋太祖之所以如此節儉，還有一個重要原因，他希望存夠了錢，把石敬瑭割讓給契丹的燕雲十六州換回來，雖然這個心願最後未了，但宋太祖克勤克儉的務實作風，值得我們學習。其實，我們現在某些人裝潢房舍，動輒上百上千萬，倒與孟昶用七寶飾溺器一般，過分奢華浪費，不是好事。

閱讀心得

閱讀心得

歷代‧西元對照表

朝　　代	起迄時間
五帝	西元前2698年～西元前2184年
夏	西元前2183年～西元前1752年
商	西元前1751年～西元前1123年
西周	西元前1122年～西元前 771年
春秋戰國(東周)	西元前 770年～西元前 222年
秦	西元前 221年～西元前 207年
西漢	西元前 206年～西元 8年
新	西元 9年～西元 24年
東漢	西元 25年～西元 219年
魏(三國)	西元 220年～西元 264元
晉	西元 265年～西元 419年
南北朝	西元 420年～西元 588年
隋	西元 589年～西元 617年
唐	西元 618年～西元 906年
五代	西元 907年～西元 959年
北宋	西元 960年～西元 1126年
南宋	西元 1127年～西元 1276年
元	西元 1277年～西元 1367年
明	西元 1368年～西元 1643年
清	西元 1644年～西元 1911年
中華民國	西元 1912年

國家圖書館出版品預行編目資料

全新吳姐姐講歷史故事. 16. 五代－北宋/吳涵碧著. --初版.--臺北市；皇冠，1995〔民84〕
面；公分（皇冠叢書；第2482種）
ISBN 978-957-33-1226-0（平裝）
1. 中國歷史

610.9　　84006927

皇冠叢書第2482種
第十六集【五代－北宋】

全新吳姐姐講歷史故事〔注音本〕

作　　者—吳涵碧
繪　　圖—劉建志
發 行 人—平雲
出版發行—皇冠文化出版有限公司
台北市敦化北路120巷50號
電話◎02-27168888
郵撥帳號◎15261516號
皇冠出版社(香港)有限公司
香港上環文咸東街50號寶恒商業中心
23樓2301-3室
電話◎2529-1778　傳真◎2527-0904
印　　務—林佳燕
校　　對—皇冠校對組
著作完成日期—1992年01月01日
香港發行日期—1995年09月25日
初版一刷日期—1995年10月01日
初版二十八刷日期—2019年04月
法律顧問—王惠光律師

讀者服務傳真專線◎02-27150507
電腦編號◎350016
ISBN◎978-957-33-1226-0
Printed in Taiwan
本書定價◎新台幣150元/港幣45元